COMMENT AIMER VIVRE SEUL

Couverture
- Aérographie:
  DANIEL JALBERT
- Maquette:
  GAÉTAN FORCILLO

Maquette intérieure
- Conception graphique:
  JEAN-GUY FOURNIER

DISTRIBUTEURS EXCLUSIFS:

- Pour le Canada:
  AGENCE DE DISTRIBUTION POPULAIRE INC.*
  955, rue Amherst, Montréal H2L 3K4 (tél.: 514-523-1182)
  *Filiale de Sogides Ltée

- Pour la France et l'Afrique:
  INTER-FORUM
  13, rue de la Glacière, 75013 Paris (tél.: 570-1180)

- Pour la Belgique, la Suisse, le Portugal, les pays de l'Est:
  S.A. VANDER
  Avenue des Volontaires 321, 1150 Bruxelles (tél.: 02-762-0662)

Lynn Shahan

COMMENT AIMER VIVRE SEUL

Traduit de l'américain
par
Andrée Yanacopoulo

le jour,
éditeur

Bibliothèque nationale du Québec
Dépôt légal — 2e trimestre 1982

ISBN 2-89044-094-X

À ma famille

Remerciements

Ils sont rares, j'en suis sûre, les auteurs qui ont la bonne fortune d'avoir une soeur en vue dans l'édition. C'est pourtant mon cas, et je lui en suis profondément reconnaissante. Ellen Shahan, je t'aime et je te remercie.

Outre la contribution particulière d'Ellen, il y a tous ceux qui ont largement contribué à assurer le déroulement et la réalisation de mon entreprise: Gayle Gray, qui à chaque étape de l'ouvrage m'a fait part de ses remarques pénétrantes et pleines d'intérêt; Margaret Weir, qui m'a écoutée, transcrite et soutenue même dans les pires moments; Gary Lewis et Jan Daigle, dont les analyses critiques, si précieuses, arrivaient toujours au bon moment; et les amis, les parents qui ont si bien su m'épauler. À tous, je tiens à exprimer ma profonde gratitude.

Avant-propos

Peu de gens trouvent agréable l'idée de vivre seul. Je l'ai lu dans les yeux remplis de larmes et de peur de ceux et celles que venait de frapper le veuvage. Je l'ai entendu dans les voix désespérées de ces hommes et de ces femmes en proie aux affres de la séparation et du divorce. Je l'ai décelé dans les efforts frénétiques de tous les solitaires pour se créer une vie active et remplie. Moi aussi je suis passée par là. Par là, et finalement au-delà.

Je suis arrivée à aimer être seule et à aimer vivre seule, mais non sans peine et non sans avoir essayé sérieusement de trouver l'âme soeur. Ce n'est qu'après des années de vie solitaire, de réflexion et de prise en charge de moi-même que j'en suis venue à défendre, sans équivoque aucune, l'idée que vivre seul est merveilleux.

Puisque vivre seule c'est vivre sans limites autres que celles que j'ai choisies de m'imposer, il m'a fallu longuement réfléchir, prendre des décisions mûrement débattues et me poser la question cruciale: "Qu'est-ce que je veux vraiment faire de mon temps et de ma vie?" La réponse, je l'ai trouvée en vivant seule; j'ai alors compris que s'il en était ainsi pour moi, il devait en être ainsi pour les autres.

C'est à chacun de nous d'apprendre les joies de vivre seul — de partir à l'aventure de nos délices intérieures. C'est à chacun de nous d'expérimenter le plaisir qu'il y a à se savoir capable de mener par soi-même une vie pleine, féconde. Tout comme moi — et, c'est là mon souhait, tout comme vous.

1

Déclaration d'indépendance

Il n'est pas nécessaire de faire des études en socio-
logie pour constater qu'aux États-Unis les modes tradi-
tionnels de vie sont en pleine évolution sociale, pour ne
pas dire en révolution. En effet une partie de la population est en voie rapide d'extension: les gens qui vivent
seuls.

Représentant autrefois une faible portion des foyers
américains, les logements pour une personne ont plus que
doublé depuis 1960 et atteignent quinze millions. Entre
1970 et 1975, le nombre de personnes vivant seules a augmenté de près de 40%.

En août 1977, le Bureau de Recensement des États-
Unis révélait que près de 21% de l'ensemble des foyers
américains — soit un cinquième — étaient habités par
une personne seule. Ces résidents recouvrent, en termes
d'âge, un large éventail — de 18 à 80 ans — et compren-
nent des adultes jeunes, des citoyens âgés, des foyers
abandonnés et autres. Donc des célibataires, des veufs
aussi bien que des gens divorcés et séparés.

Selon les courtiers immobiliers de partout, le nombre de célibataires qui s'achètent une maison aug-

mente [1]. La même tendance se retrouve dans l'industrie du logement: les lieux de séjour pour personnes seules sont en demande, et cela est nouveau. Les maisons de ville et les appartements sont maintenant dessinés en fonction de résidents uniques.

L'industrie de la mise en marché accuse elle aussi les mêmes effets, soit l'accroissement des achats effectués par des adultes vivant seuls. Les marchandises sont conçues, produites et distribuées spécifiquement pour ce type de consommateurs.

Dans tout le pays, les corps législatifs ont réagi en promulguant des lois spéciales pour le bénéfice et la protection des personnes seules: lois pour faciliter l'accès aux prêts hypothécaires (on trouvait autrefois risqué de prêter à un individu seul), pour réduire la discrimination qu'entretenaient les lois fédérales et étatiques de l'impôt à l'encontre des salariés célibataires, lois pour asseoir le droit du consommateur seul à acheter des produits en faibles quantités plutôt qu'en gros format ou pré-emballés.

Pourquoi cette attention apparemment soudaine à l'endroit d'un groupe jadis sans importance reconnue?

Si on considère qu'il y a aujourd'hui aux États-Unis 12 millions de veufs et de veuves, qu'un mariage sur trois se termine par un divorce et que, selon les statistiques, le nombre des gens non mariés va bientôt dépasser celui des gens mariés, on ne peut s'étonner que les personnes seules soient devenues un centre d'intérêt.

Avec l'isolement croissant des individus au sein de la société urbaine américaine et l'éparpillement grandissant des générations au sein d'une même famille, vivre seul est une éventualité très réelle pour bien des gens. C'est une possibilité qui vraisemblablement confrontera chacun de nous à un moment donné de notre vie.

---

1. Il y a 10 ans ce fait était rare, maintenant 21% de tous les acheteurs de maison sont célibataires.

Mais je ne veux pas vivre seul

Mis à part ceux qui l'ont choisi, peu de gens considèrent que vivre seul puisse être une expérience positive. Beaucoup réagissent avec énergie dès qu'on évoque l'idée que, dans certaines circonstances, vivre seul peut devenir une nécessité, fût-ce dans un futur éloigné. Ils refusent de croire que l'on puisse, par soi-même, se construire une vie équilibrée et heureuse en ne comptant que sur soi. Certains vont même jusqu'à préférer rester dans une relation improductive et insatisfaisante uniquement parce qu'ils ne peuvent imaginer que la vie seule puisse être autre chose qu'une existence morne, sans attrait.

Et il fut un temps où je me serais jointe de tout coeur à ces gens-là.

Je me retrouve seule

Vivre seule, pour moi, a commencé il y a bien longtemps comme une aventure très personnelle et peu prometteuse. Je n'avais jamais envisagé de vivre seule, aussi, lorsque les circonstances m'y contraignirent, me suis-je sentie envahie par l'anxiété et la peur. J'étais si désespérée que j'ai pensé mettre une annonce dans un journal local pour trouver quelqu'un avec qui partager mon appartement.

Jusque-là, j'avais toujours vécu avec d'autres — d'abord avec ma famille, puis avec des amies que j'avais connues au collège. Jamais dans mes pires cauchemars je n'avais imaginé qu'il me faudrait un jour affronter seule la vie, fût-ce pour un temps. Mais j'en étais là. Et ayant pensé aux complications que mon annonce pouvait m'apporter, je décidai d'aller de l'avant et de faire face à ma destinée, même si je me sentais très agitée.

Quelques amis réconfortants m'aidèrent à louer un appartement et à y emménager puis me prodiguèrent des encouragements en m'assurant que tout irait pour le mieux.

"Vous plaisantez?" J'avais envie de pleurer. "Je suis toute *seule*!"

C'était l'après-midi. J'étais assise dans mon salon, j'avais les yeux pleins de larmes, la gorge serrée et une sensation de vide, de malaise au creux de l'estomac. Je tentai de prendre la situation en mains. Mes pensées et mes émotions se bousculaient. Après ce qui m'apparut être des heures, il me vint à l'esprit que je ferais bien d'identifier mes peurs et de les prendre l'une après l'autre.

Aussi illogique que cela puisse paraître, ce que je redoutais le plus c'était de passer la nuit seule. J'imaginais toutes sortes de choses effroyables à propos de cette expérience nouvelle pour moi. Je caressai l'idée de rester debout toute la nuit; je pensai aussi à laisser toutes les lumières allumées et la télévision en marche, et à essayer de dormir ainsi. Mais quand arriva l'heure de me coucher, c'est-à-dire vers minuit, je me forçai à me préparer, me laissai aller à contrecoeur à mon destin et me glissai dans mes couvertures.

Je m'endormis bien plus vite que je m'y attendais. En fait, tout ce que je sais c'est que je me retrouvai les yeux ouverts et le soleil transperçant mes vitres. J'avais peine à y croire. J'abordai la journée avec le sentiment d'avoir accompli quelque chose de grand. J'avais franchi le premier obstacle!

Avec une force et une confiance accrues, je m'emparai d'une autre peur puis d'une autre puis encore d'une autre, tant et si bien que quelques mois plus tard j'avais réussi à savoir où j'allais.

Faire l'ascension d'une montagne

Ce n'est un secret pour personne que beaucoup de gens qui vivent seuls n'aiment pas cela. Lorsque, par un concours de circonstances, ils sont du jour au lendemain laissés à eux-mêmes, ils se retrouvent, tout aussi impitoyablement que je le fus moi-même, dans la nécessité de s'adapter à un mode de vie qu'ils n'ont pas choisi. La plupart n'avaient jamais jusque-là fonctionné en adultes totalement indépendants; sans que ce soit de leur faute, ils *ne savent pas* penser, sentir ni agir en personnes seules.

Cela revient à dire que très peu d'entre nous ont été formés à l'art de vivre seul; il n'est pas surprenant que le caractère étranger et l'isolement apparent de ce mode de vie nous fasse peur. Ceci ne signifie pas pour autant que nous sommes incapables de nous y faire ni que nous sommes incapables de reconnaître à temps que vivre seul, ce n'est pas forcément vivre isolé.

Comme le disait une femme qui avait eu beaucoup de difficultés à s'adapter à vivre seule: "Apprendre à vivre seul, c'est comme faire l'ascension d'une montagne. Quand on arrive au sommet, on a une vue superbe!"

Est-il vraiment possible de vivre seul et d'aimer cela?

Oui! J'ai vécu seule pendant quinze ans et j'ai aimé cela; et je ne suis pas la seule. Une grosse majorité des gens avec qui je me suis entretenue sur ce sujet aiment également cela. D'accord, il y a des problèmes réels à affronter, des "montagnes dont il faut faire l'ascension." Quand on doit s'adapter à ce type de vie et qu'on ne l'a pas choisi, c'est encore plus vrai. Mais j'ai fini par prendre goût à ma liberté et à mon indépendance, et je crois qu'il en sera de même pour vous.

Si vous êtes porté à repousser très loin de vous l'idée de vivre dans la solitude, je vous demande de garder ceci présent à l'esprit: *vivre seul, c'est peut-être différent pour vous, mais cela ne veut pas dire que fondamentalement ça ne puisse pas être bon.* C'est lorsque j'ai réalisé cela que j'ai commencé à avancer dans le monde.

Pourquoi choisir de vivre seul?

Dans une société qui met l'accent sur le couple et en fait la norme, aucun jeune ne risque de penser à son avenir en se disant: "Quand je serai grand je vivrai seul!" En tout cas pas de la façon dont il dirait: "Quand je serai grand je serai pompier!"

S'il se trouve sur terre un seul être qui a formellement projeté pendant ses années de formation de vivre seul le reste de sa vie, je dois dire que je ne l'ai toujours pas rencontré. Vivre seul, plus souvent qu'autrement, c'est quelque chose qui survient dans une vie à la suite d'un concours de circonstances. Ce n'est que récemment que cela est devenu un choix tentant, en complète opposition avec les terrifiantes conséquences qu'il impliquait autrefois. *C'est devenu* quelque chose qu'on *choisit*. Qu'y a-t-il derrière cette tendance?

À la sortie de l'adolescence, nous attendions en général avec impatience le jour où nous pourrions avoir un endroit à nous, loin des zones familiales. Ce "déménagement" nous apparaissait comme la chance de voler de nos propres ailes, de grandir et de mettre notre indépendance à l'épreuve. En même temps, nous étions tentés d'y voir une condition provisoire — la "chose à faire" en attendant de trouver un partenaire et de se marier.

Alors que cette attitude traditionnelle et tout ce qui l'entoure s'est maintenue pendant des années, un groupe d'individus a surgi qui conteste l'idée qu'être ensemble vaut mieux qu'être seul. L'impact s'en est fait sentir sur l'ensemble de la société.

Un nouveau regard sur les solitaires

À une époque pas tellement éloignée de la nôtre, celui qui vivait seul — le "solitaire" — était vu par le reste de la communauté comme quelqu'un de singulier, d'étrange, une sorte d'ermite voire un déviant. Puisque aucun être sain d'esprit (c'est du moins ce qu'on pensait) ne pouvait choisir de vivre seul, on supposait qu'il s'agissait tout simplement d'un indésirable. Jusqu'à nos jours, le seul moment que l'on jugeait approprié ou respectable pour vivre seul était la période de transition entre le départ de la maison familiale et le mariage.

Culturellement, être seul a eu dans le passé des implications et des conséquences sociales de grande envergure. La société a longtemps stigmatisé le fait d'être seul. Ne pas vivre comme dans les contes de fée en attente du Prince charmant ou de la Princesse était dans certaines régions considéré comme un problème réel: *Il doit y avoir quelque chose qui ne va pas.*

Si être marié ou avoir une affaire de coeur signifiaient réussite, être seul équivalait par le fait même à l'échec. Pour être implicite, l'accusation n'en était pas moins mordante: *"Vous n'êtes pas capable de séduire et/ou de garder un conjoint."* Selon les normes d'alors, il valait beaucoup mieux se choisir quelqu'un pour avoir droit à l'étiquette "succès" que de rester seul et de porter sur le front son "échec".

On postulait aussi que la personne seule devait, par définition, être esseulée tant et si bien qu'on finissait par la prendre en pitié et en sympathie. Si nous remarquions une personne seule en train de manger au restaurant, nous la cataloguions instinctivement comme "une pauvre âme solitaire", nous avions de la peine pour elle. Il nous était difficile d'imaginer qu'on puisse se satisfaire de sa propre compagnie.

Il n'y a pas si longtemps encore, nous avions tendance à mettre les gens sans partenaire dans une sorte d'exil. Aujourd'hui par contre, notre attitude envers les solitaires est beaucoup plus libérale. Les hommes et les femmes qui vivent seuls ne sont plus acculés à des positions de défense. Ils n'ont plus à se retirer dans quelque obscure demi-vie. Les solitaires vont et viennent dans le monde et se créent des places parfaitement viables.

Le célibat a acquis, dans les dernières décennies, un statut et une respectabilité qu'il n'avait pas, ne serait-ce que parce qu'il est devenu une catégorie sociale qui regroupe un nombre imposant d'individus. Ce changement a eu comme conséquence de conférer également au fait de vivre seul une légitimité nouvelle. C'est maintenant socialement accepté comme mode de vie alternatif — à la fois naturel et total, et régi par des coutumes propres. En fait, vivre seul est devenu presque une mode.

C'est que l'on y voit l'occasion de prendre en charge sa propre vie, de maintenir les options prises et de se sentir libre de toute entrave virtuelle. Les gens qui se sont établis dans une vie seule parce que c'est ce qu'ils préfèrent — que ce soit à titre temporaire ou définitif — affirment les avantages et vantent les occasions qu'elle leur procure. Car il y a bien des avantages à ce mode de vie. En voici quelques-uns.

Jouir de sa liberté

En vivant seul, vous bénéficiez d'une forme très significative de liberté: la liberté d'aménager votre vie et votre temps exactement comme vous l'entendez. C'est fantastique tout ce que cela implique.

Vous êtes gratifié d'une liberté que les autres peut-être ne connaîtront jamais: liberté de partir à la découverte de vous-même et de ce que vous vivez, liberté d'explorer le monde que vous habitez. Cette liberté, si vous vous en servez, peut faire de votre vie seul un mode d'existence bien moins étriqué que les autres.

En vivant seul, vous pouvez consacrer plus de temps aux loisirs: voyager, faire fructifier vos talents et vos dons, vous impliquer dans ce qui vous intéresse, trouver de nouveaux passe-temps, vous détendre, faire de nouvelles rencontres, amuser et vous amuser, utiliser votre temps pour faire tout ce dont vous avez envie.

Vivre seul signifie que vous avez entière liberté pour prendre vos décisions — que vous pouvez choisir librement ce que vous ferez de vos jours, de vos nuits, de vos fins de semaine et finalement de votre vie. Être ou ne pas être, faire ou ne pas faire, répondre ou ne pas répondre *comme vous en avez envie*, vous fixer des buts à atteindre et les moyens pour ce faire, vous engager à l'envi dans de nouveaux idéaux.

Vous pouvez aller et venir comme il vous plaira sans avoir à rendre compte du temps passé. Vous êtes libre de satisfaire jusqu'aux plus particuliers de vos goûts, de tout faire ou de ne rien faire, d'essayer de nouveaux objets, de nouveaux endroits, de nouvelles façons de vivre. Vous mangez quand vous en avez envie, vous allez là où le coeur vous en dit, vous rentrez chez vous quand vous le décidez, vous économisez votre argent ou vous le dépensez. Vous pouvez vous permettre une certaine dose de fantaisie dans votre quotidien. Vous pouvez être un véritable esprit libre.

Devenir vous-même

Vivre seul vous offre une chance unique de développer une solide identité personnelle. Il n'existe vraiment aucun autre mode de vie qui vous permette ainsi de développer votre propre individualité. L'expérience d'une vie solitaire, c'est l'occasion de se connaître au plus profond de soi; l'occasion de miser sur les capacités personnelles cachées; l'occasion de découvrir qui vous êtes et de quelles forces vous disposez.

Vous allez à l'extérieur, vous entrez en interaction avec des gens et lorsque vous rentrez chez vous, vous y réfléchissez. Parce que vous avez le temps de mener à bien une introspection continue, il vous devient possible d'avoir une vision claire de votre rapport à votre vie.

Il y a des gens à qui une vie active trop remplie ne laisse aucune chance de méditer, de réfléchir sur leurs erreurs ou d'analyser ce vers quoi ils se dirigent. La stagnation s'installe, et c'est l'arrêt de la croissance personnelle. Par contraste, celui qui vit seul peut s'assurer les meilleures chances d'accéder à la conscience de soi.

En vivant seul, vous êtes laissé à vous-même. Il vous est loisible de partir à la recherche de votre propre identité et ce, sans rien dépenser. Les périodes de solitude totale vous forcent à entrer en vous. Ce peut être une expérience revigorante — l'occasion de renaître de vos propres cendres. Vous avez plus de temps pour penser à vous et à votre vie et, de ces réflexions, de ces interrogations peut émerger un sentiment de soi très fort.

Explorer (et réaliser) vos desseins

L'une des choses les plus agréables lorsqu'on vit seul, c'est qu'on a amplement le temps d'explorer — le temps de découvrir quels sont au juste les desseins qu'on a en tête. La paix qui vous entoure autorise des perspectives illuminantes que vous n'auriez peut-être jamais eu la chance d'apercevoir en présence d'autres personnes. Ce mode facile d'introspection peut vous rapporter beaucoup.

Pendant les années où je vivais seule, je me suis trouvée confrontée à une multitude de choix très stimulants: plus de façons de sentir, de penser, de faire et d'être que j'aurais jamais pu l'imaginer au début. Savoir que je contrôlais complètement ce que j'avais choisi de vivre me donnait un sentiment de puissance que je n'aurais jamais cru possible.

En vivant seul, vous avez le privilège de vous créer un style de vie conforme à *ce que vous êtes*. Vous pouvez choisir ce que seront vos chances et vos relations plutôt que de laisser les unes et les autres s'imposer à vous.

Vous avez la possibilité et la chance de progresser, de rehausser votre vie, de faire le tri de vos idées, d'élaborer des projets. Parce que vivre seul vous fait prendre davantage conscience de vos choix — et parce qu'à vivre seul, vous en avez plus — c'est le moment de décider ce que vous voulez et de faire ce que vous avez choisi de faire.

Affirmer votre indépendance

Du fait que vous vivez seul, une chance extraordinaire de réaliser votre véritable indépendance personnelle s'offre à vous. Parce que vous devez apprendre à rencontrer vos propres besoins et à assumer la totale responsabilité de vous-même sans chercher du côté des autres, vous êtes en position d'acquérir cette force intérieure qui se développe lorsqu'on est à soi-même son propre support.

On ne parvient pas aisément à une véritable indépendance. Ce n'est pas en une nuit que vous allez vous sentir intégralement accompli au plus profond de vous, croyez-moi. Il faut des années de vie sérieuse et réfléchie. Il faut aussi, pour devenir indépendant, vous forger une solide confiance en vous et, pour cela, passer par toute une série d'aventures en solo, comme par exemple faire tout seul ce qui autrefois aurait nécessité (ou aurait été plus agréable avec) la présence d'un autre.

Vivre seul peut engendrer un type d'indépendance enraciné dans la confiance en soi et qui s'accroît avec la liberté de faire ce qu'on veut de sa vie. Une fois que vous aurez connu la véritable indépendance, vous ne voudrez pas la lâcher. Cela ne veut pas dire que vous ne désirerez plus partager à nouveau votre vie avec quelqu'un. Cela signifie que vous serez susceptible d'aborder cette union avec une compréhension plus claire de ce que vous êtes, de ce que vous avez à donner et de ce que vous attendez en retour.

Affermir sa confiance en soi

Beaucoup de gens qui vivent seuls ont trouvé une forme rare de sécurité personnelle: la capacité de s'appuyer entièrement sur eux-mêmes pour satisfaire leurs besoins. Avoir confiance en soi c'est, n'en doutons pas,

23

un des éléments les plus importants pour réussir une vie seul.

Acquérir de la confiance en soi est déjà une promesse de récompense. *Rien de tel que de savoir que vous pouvez effectivement vous occuper de vous-même.*

En puisant à vos propres ressources pour asseoir votre sécurité personnelle — en n'allant plus demander à d'autres ce qui ne peut venir que de vous — vous découvrez de quelles importantes sources de réconfort et de satisfaction vous pouvez disposer. Être capable de vous dire à vous-même: "Mes ressources, elles sont en moi. Je peux dépendre de moi" est quelque chose d'extrêmement gratifiant et qui ne peut qu'affermir votre sécurité et votre propre estime.

Vous découvrez que personne ne peut vous donner la sécurité que vous n'êtes pas capable de vous assurer vous-même, et ce savoir procure un incroyable sentiment de solidité intérieure.

Si vous adhérez à la théorie selon laquelle nous sommes les navigateurs solitaires de ce voyage qui s'appelle la vie, vous savez qu'en dernier ressort notre seule et véritable sécurité, c'est en nous qu'elle se trouve. Quel sentiment exaltant que de se savoir ainsi à la source de nous-mêmes!

Prendre plaisir à l'intimité et à la solitude

Vivre seul vous garantit le luxe de l'intimité — précieux bienfait grâce à quoi vous pouvez éloigner toutes les défenses, laisser tomber tous les masques, être totalement vous-même et découvrir du coup les délices de la solitude.

Beaucoup de gens vivent toute une vie sans connaître la paix de ces moments d'intimité avec soi-même. Ils peuvent attraper quelques moments de-ci de-là, mais c'est pour repartir de plus belle, sans ressentir pleinement ni apprécier la véritable solitude. Pour qui vit seul, par contre, cette paix est toujours disponible.

Le grand avantage, inhérent à cette intimité de la vie solitaire, c'est que personne ne peut la violer à moins d'y avoir été autorisé. En tant que solitaire, vous disposez du contrôle total de cet aspect de votre vie.

Rentrer chez soi et y retrouver le calme et la tranquillité, s'éveiller le matin et pouvoir aligner ses pensées, dormir — et sans être dérangé — à volonté, pouvoir réfléchir et créer dans une atmosphère paisible, sans être interrompu — voilà quelques-unes des bénédictions qui pleuvent sur la solitude du célibataire. Se retirer dans cette solitude, c'est en quelque sorte s'isoler volontairement du monde — c'est un exil qui vous permet de goûter à une paix totale avec vous-même.

Arriver à apprécier et à aimer la solitude peut être, dans la vie, une expérience capitale: apprendre le confort d'être seul, découvrir l'agrément de sa propre compagnie, faire de l'isolement une solitude pleine de charmes, tout cela vous appartient lorsque vous vivez seul.

Le temps est venu

Nous sommes à une époque merveilleuse pour vivre seul. Jamais, jusqu'alors, les célibataires n'avaient eu autant de possibilités pour se créer une vie heureuse et comblée. Les femmes célibataires s'affirment sur le marché du travail, font carrière, cependant que les hommes célibataires donnent libre cours à leurs talents sur la scène domestique. On écrit à leur intention des livres, des articles dans des magazines. Des séminaires, des groupes de rencontre et même des cours de niveau collégial sont donnés expressément à leur adresse. Il suffit de jeter un coup d'oeil sur les longues listes d'activités pour personnes seules qui sont annoncées dans les journaux pour constater qu'il se passe beaucoup de choses dans ce domaine.

Que vous ayez choisi ou non de vivre seul, j'espère que vous serez capable, en lisant cet ouvrage, de reconnaître et d'utiliser les avantages inhérents à ce style de vie — que vous conviendrez que vivre seul est une façon de vivre extrêmement satisfaisante et gratifiante.

Si vous n'avez pas choisi de vivre seul, avez-vous la garantie que votre nouveau statut est provisoire? Qu'il en soit ainsi ou pas, pourquoi ne pas vous efforcer d'en faire un moment réussi de votre vie, sans vous préoccuper de ce que cela durera? Se forger une vie seul qui soit riche et satisfaisante, voilà un défi que tout un chacun peut relever s'il le désire.

Si vous commencez tout juste à vivre seul, vous abordez un nouveau chapitre de votre vie et il vous faudra exécuter les changements requis par ce nouveau chapitre. Cela vous demandera du courage, mais en même temps cela sera très stimulant. En fait, ne soyez pas surpris si cela s'avère vraiment agréable!

S'ajuster à
l'état de solitude

2

Soudain seul:
survie 101

Qui s'éveille seul dans une maison
S'éveille à la panique
(Le toit va-t-il s'effondrer?
Mourrai-je aujourd'hui?)
Qui s'éveille seul dans une maison
S'éveille à l'inertie parfois,
À des crises de larmes sans rime ni raison.
La solitude gonfle l'espace intérieur
Comme un ballon.
Nous sommes portés çà et là
Sur des courants d'air.
Comment atterrir?

May Sarton
Gestalt des soixante ans

À travers les murs de mon appartement, j'entends les sanglots étouffés et déchirants de Beverley. La soeur qui était venue habiter avec Beverley après la mort de son mari est repartie. En l'écoutant, je sens que je comprends de quels sentiments sont faits ses sanglots. Au cours de son deuil, elle avait souvent partagé avec moi ses pensées. Beverley aurait souhaité mourir la première. Elle aimerait mieux être morte que seule. Le fait est là, pourtant; elle est bien vivante et il va lui falloir apprendre à vivre seule.

Lila appelle pour dire que son mari l'a quittée (cela fait juste un mois qu'ils habitent dans leur nouvelle maison). Elle se débat, se désespère, affirme catégoriquement qu'elle ne peut pas — et ne veut pas — vivre seule. Ensemble, nous faisons le tour de sa situation et constatons qu'à cet instant précis, elle n'a pas d'autre alternative.

Survivre les premiers jours (ou semaines, ou mois)

Lorsque, dans son essence même, votre existence — l'usage de votre temps et de votre énergie, la détermination de vos priorités — s'est aménagée autour de quelqu'un d'autre, il peut être extrêmement difficile d'apprendre à vivre par soi-même. Avoir toujours pensé à soi en fonction d'un autre et se trouver seul du jour au lendemain vous force à vous composer un autre rôle et à établir de nouvelles priorités. Pour beaucoup, ce n'est pas là tâche facile.

Rentrer dans une maison vide, manger seul, dormir seul, tout cela signifie s'ajuster à une nouvelle façon de vivre. Bien des gens qui, après une séparation, un divorce ou la mort d'un conjoint, se retrouvent seuls en sont à leur première expérience. Ces gens peuvent trouver particulièrement dure la période d'ajustement, habitués qu'ils ont été à la présence continuelle d'une autre personne.

Ils s'imaginent, dans leur chagrin, qu'ils ne pourront jamais compenser la perte qu'ils viennent de subir. Lorsque, passé un certain temps, ils pensent à s'occuper des aspects pratiques de leur vie, beaucoup connaissent un sentiment d'impuissance vis-à-vis de choses comme arranger la maison, vivre dans un lieu étranger, apprendre quoi faire de son temps.

Souvent, cette phase initiale de la vie seul est une période d'essai particulièrement difficile du fait que ces gens déjà en proie au chaos de leurs émotions doivent tenter de s'adapter à un mode de vie inconnu. S'il leur faut de plus changer d'environnement ce sera vraisemblablement au prix d'une forte dose de stress supplémentaire.

Dans bien des cas, le budget et l'état des finances sont à reconsidérer, ce qui peut être cause de grosses préoccupations. Beaucoup appréhendent de se faire une nouvelle vie sociale; certains disent manquer de confiance dans l'avenir et se refusent à croire qu'il y ait quoi que ce soit à attendre de la vie.

Une foule de soucis, de problèmes, de questions, de tracasseries, de craintes et de doutes assaillent tous ces gens alors même qu'ils sont le plus vulnérables et le plus portés à se sentir affectivement insécures. Malheureusement, le divorce ou la séparation "à l'amiable" ne rendent pas pour autant plus facile de s'en sortir, de se trouver un endroit et de se mettre à reconstruire sa vie.

Comme le disait en se lamentant un homme de quarante ans qui émergeait d'un divorce: "La dernière chose à laquelle je me serais attendu dans ma vie, c'est de devoir apprendre à m'occuper de moi-même."

Le divorce, la séparation et le veuvage entraînent de lourdes contraintes. Dans le domaine des relations personnelles, il est difficile d'accepter une perte qui est, ou peut devenir, permanente. Il nous paraît cruel, le destin qui exige de nous que nous nous ajustions simultanément à la perte d'un compagnon et à la vie seuls. Noyés dans une détresse et une désorientation profondes, nous arrivons tout juste à nous tenir la tête hors de l'eau. Il n'est pas rare alors de se sentir paralysés et effrayés, et de se figurer que, seuls, nous ne pourrons jamais faire face à la vie.

Tel était le cas de Dorothy P.: "L'année qui a suivi mon divorce, j'étais si affolée, c'est un miracle qu'on ne m'ait pas enfermée. Il n'y avait rien de normal pour moi. Je vivais dans une confusion totale. J'étais incapable de prendre des décisions. Je n'avais aucune volonté pour quoi que ce soit. Je fonctionnais avec autant d'efficacité que si j'avais été une paire de ciseaux."

Lorsqu'on se retrouve soudain seul, on est souvent la proie d'émotions variées dans lesquelles on se perd: torpeur, ressentiment, apitoiement sur soi, colère, culpabilité, anxiété, dépression. Au plus fort de ces sentiments et au coeur de ce bouleversement émotionnel, une évidence: l'énormité de notre solitude.

Il en est qui s'en prennent violemment à l'injustice de la vie et à ceux qu'ils croient avoir plus de chance. Il en est qui se sentent si abattus, si dépossédés que la vie ne leur semble plus rimer à rien. Des décisions précipitées se prennent, des changements hâtifs sont instaurés. On envisage le suicide — on l'accomplit parfois. Mais la plupart des gens, grâce au soutien qu'ils reçoivent de leur famille et de leurs amis, grâce aussi au temps qui passe, arrivent à survivre et à repartir, recouvrant à la fois le bonheur et leur raison d'être.

Quand on s'ajuste à l'état de solitude, il faut apprendre à faire face à ses émotions et à admettre qu'avec le temps, elles passeront. Prendre soin de soi est un talent qui s'acquiert. Vous devez apprendre à développer les aptitudes et les tactiques qui vous permettront de survivre. Par exemple, bien des gens qui en sont aux débuts de leur vie solitaire éprouvent de la difficulté juste à rentrer chez eux. Cette maison vide et tranquille leur semble à l'image du vide de leur vie. Certains rentrent chez eux le moins possible, d'autres n'y retournent plus du tout.

J'ai connu quelqu'un qui, après son divorce, a passé dix-huit mois en dehors de chez lui. L'idée de rester seul toute une soirée lui faisait tellement horreur qu'il fuyait littéralement sa maison. Il s'arrangeait pour souper le soir avec quelqu'un, rentrait à l'occasion pour dormir et, une fois par mois environ, restait le temps nécessaire pour faire un peu de ménage et mettre un minimum d'ordre. L'ironie est que, justement parce qu'il étirait l'inévitable, ses débuts d'homme seul furent inutilement handicapés et retardés.

Accroître son autosuffisance, réaliser son indépendance affective, maîtriser la mécanique quotidienne de la vie, prévoir le support affectif dont on a besoin, se maintenir "entier" — autant de priorités importantes pour celui qui se trouve brusquement tenu de vivre seul. Il se peut que vous ne puissiez rien au fait d'être seul. Mais vous *pouvez* certainement contrôler la façon dont vous abordez votre nouveau mode de vie.

Le processus d'ajustement

Il est d'une importance capitale, pour le novice, de trouver comment passer les premiers jours, semaines et mois. Pour nombreuses que soient les façons de s'adapter et de faire face à la situation, le besoin qu'elles se proposent de combler s'exprime dans cette question fondamentale: *Comment survivre à ce qui est la pire de toutes les conditions humaines possibles?*

S'adapter est d'autant plus crucial que le changement survenu a laissé s'installer des sentiments d'égarement, de léthargie et de désorientation. Certaines personnes disent avoir ressenti de la panique et de l'effroi, d'autres se plaignent d'être incapables de rester en place et de se concentrer, ce qui les prive de recourir aux distractions et aux passe-temps qu'elles aimaient. Certains éprouvent le besoin désespéré d'être avec d'autres. Ces sentiments étranges, fluctuants, souvent perturbants, il faut savoir les reconnaître: c'est alors, mais alors seulement, que l'on sera en passe de les maîtriser et de retrouver ainsi le contrôle de sa vie.

Avant d'aborder les étapes spécifiques propres à faciliter le processus d'adaptation, une question se pose qu'il vaut la peine de considérer: s'adapter est-il plus ardu pour les hommes ou pour les femmes?

Cette question m'a été posée à maintes occasions. Il me semble qu'il n'y a pas de réponse tranchée: tout dépend de l'individu et de ce qu'il apporte. Certains hommes arrivent à s'occuper d'eux-mêmes alors que d'autres, faute d'avoir acquis le minimum de talents domestiques, rencontrent bien des difficultés dans leurs efforts pour se créer un chez-soi. Ils évoquent les sensations horribles qui les étreignent dans les supermarchés, parce qu'ils ne savent ni coudre ni laver. "Plutôt acheter du neuf" devient leur devise. Faire la cuisine est un autre problème, c'est une tâche plus facile à éviter qu'à accomplir.

Être contraint à apprendre à s'occuper de soi et de sa maison lorsqu'on n'a jamais eu à le faire complique forcément le processus d'ajustement, peut-être même le prolonge. Bien sûr, il n'y a pas de raison pour que vous ne preniez pas plaisir à faire cet apprentissage de la façon que nous avons dite, même si vous n'avez pas choisi de vivre seul.

Que vous soyez homme ou femme, que vous ayez des aptitudes domestiques ou pas, les étapes suivantes vous seront d'une grande utilité, non seulement pour survivre à ce processus d'adaptation mais aussi pour en sortir plus assuré et plus fort.

Comprendre et accepter sa condition

Beaucoup de gens qui en sont aux débuts de leur vie seuls commencent avec une base minimale — au lieu de regarder en face les problèmes et de les régler, ils vivent au jour le jour. Les temps leur semblent incertains et capricieux, avec des hauts et des bas. Or, si on veut que vivre seul soit source de choix enrichissants, il faut dépasser ce stade minimal. Ceci est facile à dire mais parfois difficile à faire. Pour certains, le simple fait d'apprendre à se débrouiller est une réalisation importante et il est hors de question, dans les commencements, de mettre en place quoi que ce soit. Il faudra bien pourtant finir par le faire; pour s'assurer un bon départ, le mieux est de s'accepter et de compter sur soi.

C'est à chacun selon ses forces et ses ressources de rencontrer les problèmes que recèle sa condition. Nous avons chacun notre façon de prendre part à ce qui nous concerne. Mais il y a une chose à laquelle nous pouvons tous faire appel: nous-même. C'est avec ce soi que nous devons composer si nous voulons nous adapter convenablement à notre vie de solitaire.

Une des premières choses que vous devez faire est d'*accepter votre solitude*. Ensuite — et c'est là qu'entre en jeu votre autonomie — vous devez décider de ne pas la laisser prendre le meilleur de vous. Admettre ce qui est et vous faire la promesse de réussir. Refuser au départ l'éventualité d'un échec ou d'une défaite. Relever le défi de survivre! Redites-vous que vous êtes à vous-même votre premier et votre dernier recours. En d'autres termes, la meilleure façon de vous y mettre, c'est d'accepter sur-le-champ la responsabilité de votre propre bonheur.

Que cela vous plaise ou non, vous devez ramasser tout ce que vous avez comme ressources. Vos amis, votre famille peuvent vous aider, mais c'est de vous seul que vient en fin de compte l'appui le plus solide. Cela ne veut pas dire qu'il vous faut, dès le premier jour, devenir un modèle de force et de résolution. Au contraire, vous pouvez vous attendre à être par moments freiné par la colère ou le chagrin ou le doute. Votre seule règle, au commencement, est de vivre au jour le jour jusqu'à ce que vous vous sentiez prêt à accepter le défi que représente la mise en place d'une vie nouvelle.

Vous devez apprendre à avancer en dépit de vos sentiments, à les recevoir comme naturels et normaux. Rappelez-vous que vous êtes en imposante compagnie, un cinquième de la population. D'autres aussi ont douté de pouvoir survivre; mais ils ont appris à accepter leur situation et ont repris leur élan. Vous en êtes tout autant capable.

Certaines personnes ont besoin de plus de temps pour s'adapter que d'autres. Il est essentiel que vous en soyez conscient et que *vous vous accordiez du temps*. Plutôt que de prendre des décisions dictées par l'impulsion ou par la peur, attendez d'être plus stable affectivement et plus sûr de l'avenir. Si vous vous sentez trop perturbé, mieux vaut reporter à plus tard les décisions importantes. Ne vous mettez pas à tout vouloir régler d'un coup. Le temps travaille pour vous. C'est un grand médecin, habile à soulager l'angoisse et à résoudre les incertitudes. Ce qui aujourd'hui vous paraît accablant ne le sera pas demain.

Les chapitres suivants vous apporteront maintes suggestions détaillées pour vous faciliter la transition à votre nouveau mode de vie. D'ores et déjà cependant, voici quelques conseils pour réaliser une adaptation satisfaisante: essayer d'accepter le présent, retarder les grandes décisions, savoir que le temps ne peut qu'aider. Vous ne pouvez malheureusement pas toujours contrôler les circonstances qui affectent votre changement de vie; mais que faites-vous quand on vous ôte le tapis de dessous vos pieds? C'est simple: vous remontez dessus.

Regarder ses démons en face

La seconde étape obligatoire à franchir pour s'habituer à vivre seul consiste à composer avec ses peurs, ses soucis et ses doutes.

Bien des gens qui ont pourtant choisi de vivre seuls ressentent beaucoup d'appréhension. Les plus grandes craintes tournent autour du problème d'autosuffisance. *Qu'adviendra-t-il si je n'arrive pas à me tenir sur mes deux jambes?*

En second lieu mais en premier pour d'autres, on s'inquiète de sa sécurité financière: *Suis-je capable de subvenir de façon satisfaisante à mes besoins?*

Beaucoup sont hantés par cette peur bien naturelle: *"Et si je tombais malade? Qui prendra soin de moi?"* Il y en a qui poussent très loin leurs craintes: *"Vais-je mourir de faim? Serai-je capable de dormir?"*

Enfin, la pire obsession est: *"Et si je passe le reste de ma vie comme ça?"*

Si c'est la première fois que vous avez à vivre seul, et surtout si vous le faites contre votre volonté, il pourra vous falloir beaucoup de temps pour accepter de plein gré votre situation. Par conséquent, il est sage de limiter vos craintes en les traitant chacune séparément, de façon à ne pas vous sentir accablé par leur nombre.

Dans un premier temps, il faut les identifier une par une et aussi précisément que possible. Nommer une chose, c'est s'en rendre maître. Plus vous pourrez faire avec exactitude le décompte et l'analyse de vos angoisses, plus vous aurez de chances de les surmonter. À mesure que vous les reconnaissez, il est important de vous faire avec elles l'avocat du diable. L'autre versant n'est peut-être pas aussi terrible que vous l'imaginez. C'est là un bon exercice, qui vous permettra d'évaluer à une plus juste valeur ce que vous redoutez. Rappelez-vous, si vous pouvez reconnaître vos angoisses, vous serez d'autant plus libre pour vous soustraire à elles ainsi qu'aux réalités qui les engendrent.

Adopter une perspective réaliste

Gonfler exagérément vos peurs ne peut que servir à alimenter votre souffrance. Pour réussir votre adaptation à votre vie seul, il faut dans un troisième temps adopter une perspective réaliste des choses, eu égard à la situation. La réalité peut parfois vous frapper juste entre les deux yeux, vous engageant du même coup à l'éviter; mais éviter de voir en face votre situation, c'est risquer de payer plus cher après.

Il y a des choses bien précises que vous pouvez faire pour adopter une perspective réaliste et la garder. En voici quelques-unes:

- Ne laissez pas l'énormité de votre situation vous envahir. D'autres que vous sont passés par là et ont survécu; vous aussi.

- Tâchez de voir votre solitude comme une partie constituante de votre vie — mais *une* partie seulement de votre vie. Essayez de ne pas la voir comme quelque chose qui vous engloutit, qui vous dévore et qui finira par vous détruire.

- Attendez-vous à assumer votre vie sur une base quotidienne au début. Soyez patient, vivez aussi bien que vous le pouvez, au jour le jour.

- Sachez que vivre seul, c'est tout à la fois être libre, avoir peur, être anxieux, se sentir instable et isolé, mais qu'on peut surmonter tout cela et y trouver des gratifications.

- Soyez conscient qu'un projet pensé dans un état d'esprit positif a plus de chances d'être mené à bien que celui qui est conçu dans le désespoir.

- Admettez que, même si vous pouvez attendre du secours des autres, c'est à vous que reviendra le plus gros du travail.

- Rappelez-vous qu'apprendre à vivre seul peut demander beaucoup de temps.
- Apprenez à accepter votre solitude comme une condition toujours possible de votre vie (éventualité qui rend d'autant plus crucial le besoin de réussir votre adaptation).

Mark G., jeune homme qui trouve bien dur de fonctionner après que sa femme l'ait quitté, reconnaît qu'il est enfin parvenu à s'en sortir.

"Le pire moment dit-il, c'est le soir, quand il n'y a personne; mais je sais maintenant que la seule chose à faire, c'est de vivre avec cela. Il y *aura* demain une autre journée, un autre soleil."

Apprendre à voir de façon réaliste ce qui est inévitable — apprendre à avoir du coeur au ventre, s'accorder un temps d'essai s'il le faut, c'est beaucoup de chemin à faire pour arriver à vivre seul et à aimer cela.

Survivre minute par minute

En vivant au jour le jour, vous vous frayez un chemin qui risque de vous faire accéder par la grande porte à la vie de célibataire. La meilleure façon de vous adapter à ce style de vie c'est, comme pour toute autre adaptation, de faire un pas à la fois. Parmi les gens seuls, les plus heureux semblent être ceux qui sont indépendants et qui se sont fixé un but à atteindre. D'où l'intérêt, à ce stade, d'avoir une existence planifiée.

Comment vais-je recommencer? C'est la question que se posent ceux qui, après des années vécues avec d'autres, se retrouvent seuls. Pour ceux-là, maîtriser la routine de la vie quotidienne est déjà un défi en soi. Construire une base solide sur laquelle édifier la vie nouvelle dans laquelle on a été catapulté, c'est long. Mais la réalisation peut en être plus aisée si vous commencez modestement.

Ceux qui en sont à leur première expérience — ceux qui, jusque-là, avaient centré leur vie sur un compagnon ou sur une famille — perdent tout sens d'activité normale. Ces "âmes à la dérive" peuvent tout de même parer aux aléas de leur soudaine liberté en organisant soigneusement leur temps.

La planification sert à tromper les moments de solitude, à donner un sens et une perspective à la vie, à faire qu'il y ait quelque chose qu'on puisse attendre. Qu'elle soit à court ou à long terme, elle est, pour ceux qui vivent seuls, d'un secours inestimable.

Organiser un mode de vie pour une personne seule est peut-être la tâche la plus ardue, le défi le plus grand que puisse affronter celui qui en est aux premiers stades de sa vie solitaire. Parmi les gens que j'ai interrogés, la plupart avouaient qu'ils avaient du mal à s'ajuster, même si c'était par choix qu'ils vivaient seuls. Bien sûr, le degré de difficulté variait avec les individus; il reste que j'ai retrouvé, chez tous ceux que la mort, la séparation ou le divorce laissaient brusquement livrés à eux-mêmes, ce point en commun. Presque tous pataugeaient; ils avaient passé des mois seuls et n'étaient toujours pas arrivés à se prendre en mains.

Une fois qu'ils ont appris à accepter les nouvelles conditions qui leur sont faites, les gens qui se retrouvent inopinément tout seuls et qui ont du mal à s'y faire doivent apprendre à agencer convenablement entre eux les divers éléments de leur vie. Ceci peut être en grande partie réalisé par l'établissement — et l'observance, d'un programme d'activités quotidien.

Les activités comprises dans ce programme comptent moins, au début, que la mise au point du programme lui-même. Si votre monde intérieur est en désordre, programmer le monde extérieur a son utilité. Vous en tirerez un sentiment d'ordre, quelque chose à quoi vous raccrocher. Cela peut également vous aider à endiguer cette sensation de désoeuvrement et de flottement qui affecte souvent ceux qui commencent tout juste à vivre seuls.

Janet H. est une jeune dessinatrice que son mari a vraiment prise par surprise en procédant à une demande de divorce. Elle se sentait absolument inapte à vivre seule.

"Rien de ce qui me servait à occuper mon temps ne me tente, maintenant, me dit-elle. Je déteste rentrer dans une maison vide, et j'ai essayé de remplir ma vie avec mon travail. Je sais que, tôt ou tard, il faudra que je m'habitue à vivre seule, mais je ne sais vraiment pas comment ni par où commencer."

À mesure que nous parlions, je lui faisais valoir comme il est important d'arriver aussi vite que possible à vivre dans son milieu. Vouloir en faire l'économie ne peut que prolonger l'agonie, si je peux m'exprimer ainsi, et vous exposer un jour à vous retrouver face à face avec vous-même, sans avoir récolté grand-chose de votre dérobade. Plus tôt vous vous installerez, mieux vous vous en trouverez.

Je recommandai à Janet de quitter son travail à l'heure, le lendemain. Ensemble, nous avons mis au point un programme composé d'activités qu'elle aimait et dont nous espérions qu'elles la conduiraient avec succès jusqu'au soir. Tout en mettant ce programme au point, nous avons compris, elle et moi, qu'elle avait besoin d'être dirigée minute par minute. Voici donc ce que nous avons planifié:

17 h   En rentrant du travail, acheter ce qu'il faut pour le repas du soir. Choisir tout ce dont on a envie.

17 h 30   Préparer le souper.

18 h   Souper. Ranger et nettoyer.

18 h 30   Lire le journal du soir.

19 h   Regarder la télévision.

19 h 30   Prendre un bain bien chaud.

21 h 30   Se mettre au lit avec un livre ou un magazine.

Je revis Janet la semaine suivante. Elle me dit que chaque jour, au moment de la pause café, elle préparait son programme pour le soir. Elle passait davantage de temps chez elle et commençait à y prendre goût. Elle me dit aussi que de suivre point par point son programme l'avait aidée à ne pas rester centrée exclusivement sur ses problèmes.

Vous pouvez ou non avoir besoin d'une planification aussi détaillée pour franchir cette période d'adaptation. Ce qu'il faut souligner ici, c'est que, pour Janet, elle a été efficace. Janet a pu prendre un bon départ et s'acheminer vers une vie réussie, récompensante.

Établir une liste, quelle qu'elle soit, des activités quotidiennes semble être particulièrement utile pour les gens dont la vie était auparavant structurée en fonction d'un compagnon ou d'un entourage familial. Cette procédure leur permet d'évacuer beaucoup de leur anxiété et de perdre moins de temps à ressasser leur condition.

Mary B., qui vient d'être veuve, me dit: "Pendant la semaine, ça se passe bien; j'ai mon travail, ça me tient occupée. Mais les fins de semaines, ça met tout par terre. Si je n'ai pas quelque chose de précis en vue, je sens le temps me peser lourdement et je finis par être très déprimée."

Dans le but d'aider Mary à inverser le modèle, nous avons commencé par diviser ses fins de semaine en six grands blocs: samedi matin, samedi après-midi, samedi soir, dimanche matin, dimanche après-midi et dimanche soir. L'idée était de lui donner un cadre assez souple à l'intérieur duquel elle pouvait aménager des "temps morts".Dans une seconde étape, Mary décida des activités de chacun de ces blocs. Elle arriva à ceci:

Samedi		
matin	**après-midi**	**soir**
S'occuper du ménage Faire les courses	Faire du lèche-vitrines Dîner en dehors ce la maison Aller au bar de la piscine	Regarder la télévision Lire un livre ou un magazine

Dimanche		
matin	**après-midi**	**soir**
Préparer le brunch Lire le journal du dimanche S'occuper des plantes d'intérieur	Faire les mots croisés du dimanche Prendre un bain de soleil sur le balcon	Aller voir sa fille ou des amis

Le but poursuivi, en organisant le temps de façon aussi serrée, était double: établir un programme pour la période de temps qu'elle avait du mal à contrôler, et lui procurer une certaine sécurité liée au fait qu'elle savait que les détails de sa fin de semaine étaient prévus.

Après avoir suivi son nouveau programme pendant plusieurs semaines, Mary me dit qu'elle n'était plus terrifiée à l'approche des fins de semaine, et qu'elle n'abordait plus la semaine avec un sentiment de vide et de découragement comme avant. Elle est maintenant arrivée au point où elle peut passer une fin de semaine agréable chez elle, toute seule, à lire ou à s'occuper, sans se sentir déprimée. Plus important encore, elle semble en bonne voie de redevenir une personne, au sens plein du terme.

Ce qui marche pour l'un ne marchera pas forcément pour l'autre. Dans les exemples donnés, le procédé a été efficace pour les personnes concernées, mais peut ne pas l'être pour vous. Aucune formule n'est garantie fonctionner pour tous, mais il y a de fortes chances pour qu'un programme qui a été élaboré en tenant compte de vos besoins et de vos goûts vous soit d'un grand secours dans ce processus d'adaptation à la vie seul.

Si je choisis de vivre seul, aurai-je des problèmes d'adaptation?

On pourrait supposer que, si on choisit de vivre seul, la période d'adaptation sera relativement douce, sinon inexistante. Cela arrive parfois, mais pas toujours. Il y a des gens qui, ayant longtemps désiré la liberté, ne savent plus qu'en faire une fois qu'ils l'ont. Vouloir être libre et savoir l'être le moment venu sont deux choses bien différentes. Apprendre à gérer sa liberté est une partie importante de l'apprentissage de la solitude.

Même ceux qui attendent religieusement le jour où ils pourront avoir un endroit à eux peuvent, lorsque leur rêve devient réalité, avoir du mal à s'ajuster. Il y en a peu, si tant est qu'il y en ait, qui ont l'occasion de pratiquer ce mode de vie dans leur période de formation, entre l'enfance et la fin du collège. Nous faisons presque toujours partie d'une unité sociale structurée, habituellement la famille. Apprendre à vivre en dehors de cette unité demande une certaine habitude, comme en témoigne Kay L.:

"J'ai grandi dans une famille nombreuse — si nombreuse que je n'ai jamais eu de chambre à moi. Parce que je vivais dans une espèce de dortoir surencombré, je rêvais, au collège, du jour où j'irais m'installer dans un appartement vraiment à moi, où j'aurais mon intimité, où je pourrais tout arranger à mon goût, où je pourrais vivre comme je l'entendais, enfin tout. Lorsque mon rêve s'est réalisé, toutes mes illusions se sont envolées. Je ne savais pas quoi faire de moi, je me sentais perdue. En fait, le calme qui régnait me rendait pratiquement folle."

Kay ne pouvait pas le savoir alors, mais il était normal qu'elle se sente perdue. Vous ne pouvez vous attendre à passer d'une vie à plusieurs à une vie tout seul sans ressentir une certaine confusion, un certain égarement. Ce qui est important, c'est d'arriver à le surmonter. Kay poursuivit:

"J'avais mis toute ma fierté et toute ma détermination à faire de cette expérience une réussite. Je m'étais depuis si longtemps vantée que j'aurais un jour un endroit à moi que je ne me voyais pas rentrer à la maison, la tête basse. J'y ai pensé ferme, j'avais peur, j'hésitais follement. Et puis, j'ai décidé de commencer par me brancher sur un aspect de mon rêve et de travailler dessus. Au début, je passais des journées entières à acheter de quoi décorer l'appartement. Puis je me suis mise à piocher sérieusement la décoration intérieure. Il m'a fallu environ six mois pour mener à bien mes projets, et depuis, j'éprouve un réel plaisir à vivre seule, exactement comme je l'imaginais dans mon rêve."

Le secret, dans un cas comme celui-là, est de se donner un objectif dès le départ. Il est important aussi de prévoir une sorte de période d'ajustement et de la préparer. Ce sont là deux moyens de prévenir le sentiment qu'on a parfois d'être "perdu".

Monsieur Jim S. est un autre exemple de quelqu'un qui, ayant choisi de vivre seul, a du mal à y arriver. Au cours d'un entretien, il m'apprend qu'il avait mis fin à 25 années de mariage pour pouvoir "vivre comme il l'avait toujours désiré".

Voici ce qu'il me dit: "Mes habitudes et celles d'Helen sont diamétralement opposées. Je m'imaginais que si j'étais seul, je serais mieux pour vivre. Il n'y aurait personne pour interférer avec moi.

"Pour vous donner un exemple, le matin, j'aime me lever tôt et lire. Pendant 25 ans, Helen s'est plainte de ce que ça la dérangeait. L'idée a commencé à me trotter dans la tête de faire ce que j'aimais et de ne plus écouter les reproches de ma femme.

"Le revers de la médaille, c'est qu'elle avait une habitude qui m'agaçait profondément. Pas un seul soir de l'année ne se passait sans qu'elle s'endorme sur le divan, devant la télévision. Or, dans mon rêve d'avoir une place à moi, Helen ne s'endormait pas sur le divan."

Jim acheta un petit appartement en copropriété avant même de se lancer dans une procédure de divorce. Tant il était résolu, et certain que c'était vivre seul qu'il voulait. À sa grande surprise et à sa grande consternation, il ne se sentit jamais plus seul que lorsqu'il eut emménagé dans son nouvel appartement. Il ne fit ni une ni deux: il téléphona à sa presque ex-femme pour lui demander de venir le voir. L'enchantement d'être chez lui s'était dissipé d'un seul coup.

Ce qui était arrivé, c'est que Jim ne pouvait pas supporter l'absence de routine. Il n'y avait pas de petit déjeuner comme tel, pas de souper, rien.

"Je n'arrivais pas à me régler, continua-t-il, et tout d'un coup, les "mauvaises habitudes" d'Helen ne me semblèrent plus si mauvaises que ça. Je renonçai et demandai à Helen de venir habiter avec moi, espérant que sa présence me procurerait la structure qui manquait à ma vie. Elle accepta et je retirai ma requête en divorce."

En moins d'un mois, toutes les contrariétés avaient refait surface; six semaines après, Jim et sa femme se séparaient pour de bon.

"J'étais parvenu à comprendre que si je voulais m'arranger tout seul, je devais me créer mes propres habitudes de vie. Ce fut l'un des défis les plus durs que j'ai rencontrés dans ma vie — mais j'y suis arrivé, tranquillement. Remarquez bien, pour être honnête, il y a eu des moments où j'avais envie de retourner en arrière et où je pensais ne jamais y arriver."

Une des premières choses que fit Jim fut d'inviter des amis pour le brunch les fins de semaine, et pour souper les soirs de semaine. Faire les emplettes, organiser ses loisirs lui permirent d'établir un train-train journalier. En peu de temps, il n'eut plus besoin d'avoir de la compagnie pour organiser son existence, et il parvint à tout faire seul.

Parfois, c'est le contraire qui se produit: les premiers mois où on est libre et où on peut faire ce qu'on veut sont si radieux qu'on ne peut pas imaginer pouvoir un jour *ne pas* aimer vivre seul. Laura T., qui vient de passer la trentaine, a pris un appartement pour elle seule à l'âge de 24 ans. Ses études collégiales étaient alors terminées depuis deux ans et elle vivait avec des compagnes. Lorsqu'elle accepta de travailler pour un journal dans une ville où elle ne connaissait personne, elle n'avait plus le choix, il lui fallait vivre seule.

"Au début, tout me paraissait exotique. Je m'étais tellement bourré la tête avec des idées de bravoure et de maturité que j'étais sûre de les avoir prouvées en disant au revoir à tous les gens et à tous les objets que j'aimais pour m'en aller travailler dans une ville inconnue. Comme j'avais un horaire irrégulier, vivre seule était une pure merveille. Je pouvais rentrer à deux ou trois heures du matin sans déranger personne. Je pouvais faire jouer mes disques, lire jusqu'à l'aube, dormir jusqu'à midi — il n'y avait personne pour me déranger.

"Ce "paradis sur terre" dura sans arrêt pendant à peu près onze mois, jusqu'à ce qu'un soir, assise dans mon lit, je réalise, le coeur serré, que j'étais seule. Je ne veux pas dire que je trouvais à ce moment-là ma vie amère. Ce qui est arrivé, c'est que mon euphorie a été débordée par quelque chose de plus réel — vivre ainsi, pour moi, c'est à 90% merveilleux et à 10% difficile."

Pour Laura, le besoin de s'adapter ne s'était pas fait connaître avant qu'elle ait vécu seule ces onze mois. Elle a su alors pourquoi elle aimait vivre seule et pourquoi elle avait décidé de faire tout ce qu'il fallait, selon elle, pour maintenir son mode de vie, son équilibre et son intégrité comme être humain.

Vous êtes votre bien le plus précieux

Pouvoir tirer le maximum de vos ressources c'est, en toutes circonstances, votre bien le plus précieux. Mais c'est encore plus vrai lorsqu'il vous faut vous habituer à vivre seul. De quoi d'autre disposons-nous? Ou mieux: de qui d'autre? Nous ne pouvons jamais être assurés d'un soutien continu de la part des autres, nous devons donc assumer la responsabilité de prendre soin de nous-mêmes.

L'adaptation à la vie seul peut nécessiter le réalignement ou la restructuration de vos priorités. Cela peut exiger de vous une orientation différente ou la découverte de chemins nouveaux qui débouchent sur des perspectives intéressantes. Si vous avez perdu vos anciens rôles ou si vous les refusez, il faut vous en créer de nouveaux. Peut-être pouvez-vous contracter de nouvelles relations ou vous constituer un nouveau milieu social.

Quels que soient les défis à relever, vivre seul vous offre bien des possibilités quant à votre mûrissement personnel, dont le moindre n'est pas l'occasion de vous recréer — de vous forger une identité personnelle plus forte, plus solide que jamais auparavant. Vous pouvez vraiment adopter un style de vie spécialement conçu pour vos besoins. Enfin, il vous est donné de comprendre ce que signifie réussir sa vie seul: en cas d'événements pénibles qui autrefois auraient risqué de vous mener à votre perte, vous ne tombez plus dans ce piège qui consiste à s'apitoyer sur soi et à attendre la catastrophe. Le temps aidant, vous êtes devenu capable de prendre vaillamment en mains une situation difficile, et d'en sortir victorieux. Et croyez-moi, vous serez fier de constater avec quelle compétence accrue vous organisez et vous contrôlez votre vie.

3

Combattre le sentiment de solitude

À vivre seul, on risque fort de se sentir seul. Mais il est possible de réduire au minimum ce sentiment, de transformer l'isolement en une solitude confortable. Car il y a là une différence.

La solitude désigne simplement le fait d'être livré à soi-même, alors que le sentiment de solitude implique le désir d'avoir de la compagnie — de ne pas être seul. Le problème, c'est que pour bien des gens, les deux termes sont interchangeables: être seul signifie automatiquement se sentir seul.

Il n'est pas besoin d'en être ainsi. Si le fait d'être seul est une donnée de votre existence, le sentiment de l'être peut se réduire à un degré que vous n'auriez jamais cru possible.

Gardez bien présent à l'esprit, pour commencer, que loin d'être un phénomène nouveau, ce sentiment de solitude est vieux comme le monde. Même si, peut-être, vous ne vous sentez pas capable de le surmonter tout à fait, il reste qu'il est possible de s'en arranger, voire de le transformer en une expérience salutaire.

En second lieu, sachez que c'est un sentiment qui ne discrimine pas. Il frappe n'importe qui n'importe où. Bien des gens qui vivent seuls sont beaucoup moins seuls que des gens mal mariés, dont la solitude est d'autant plus grande que leur union est malheureuse. Paradoxalement, c'est souvent auprès de quelqu'un que se vit la pire solitude.

Les gens qui sont très actifs et indépendants n'ont pas, en général, le temps de se sentir seuls, alors que pour ceux qui se sont séparés d'un partenaire, la solitude est un accident terrible — un événement qu'ils auraient préféré ne pas vivre. Ils craignent de ne plus pouvoir contenir les symptômes qu'ils ressentent — entre autres, la sensation d'être malades physiquement, d'être instables sur le plan mental et, pis encore, terriblement dépossédés. C'est à cause de ce qui leur paraît être une injustice que certains se sentent parfois abandonnés, révoltés ou amers. La solitude s'accompagne souvent d'un sentiment déchirant d'indignité et de ratage.

Comme le disait un homme jeune qui décrivait ce qu'il ressentait après avoir été repoussé par celle qu'il aimait: "J'avais l'impression que ma vie était finie. J'étais sûr que jamais personne n'avait été aussi seul que moi."

Cela fait mal de se sentir seul. C'est une souffrance qui parfois l'emporte sur toutes les autres souffrances. Les sentiments de vide affectif qu'elle entraîne peuvent vous amener à avoir des pensées étranges, à accomplir des gestes étranges. Pour beaucoup, la solitude est un monstre menaçant et destructeur, qui décapite toute possibilité de vivre seul et d'aimer vivre seul. Cette menace plane, tel un gros nuage noir, sur leur tête; d'elle sourd un flot incontrôlable d'anxiété et de douleur. Bien souvent, c'est l'accablement qui prévaut à l'évocation de ce problème, et le pessimisme quant à la faculté de s'y mesurer avec succès.

Si votre problème numéro un est la solitude, comment vous défendre contre les souffrances qu'elle vous cause? Comment réagir au temps qui pèse sur vos épaules? Comment compenser ce sentiment d'un manque dans votre vie? Lorsque vos sensations d'isolement se mettent à faire boule de neige, comment contrôler la peur?

Il y a autant de réponses à ces questions que de personnes pour en poser. Au niveau individuel, la solitude est un problème qui demande une solution individuelle. Mais vous pouvez faire beaucoup pour la combattre à la fois sur le plan individuel et social. Nous en traiterons les aspects les plus importants dans ce chapitre et dans les suivants. Mais il faut être réaliste, je ne peux vous promettre la guérison, je peux cependant rendre peut-être tolérables les symptômes dont vous souffrez.

Si je ferme les yeux, est-ce que ça partira?

Qui, à supposer qu'il en ait le choix, désirerait être mis en présence de la solitude? Pour la combattre, il vous faut faire appel à vos ressources intérieures les plus indéfectibles; vous trouverez donc plus facile de tout simplement éviter l'affrontement. La décision critique que doit prendre toute personne qui vit seule consiste à choisir entre plonger dans le travail, s'impliquer dans des activités sociales, se tenir occupée ou alors s'attaquer à la nature même de la solitude.

Il n'y a aucun doute qu'en l'attaquant de front, on s'expose à un véritable combat qui, si on en sort victorieux, sera amplement gratifiant. Mais est-il vrai, aussi, que cette sensation d'isolement, vous pouvez l'atténuer en maintenant une activité propre à vous faire oublier la situation difficile dans laquelle vous vous trouvez? Probablement pas. J'ai idée que si vous n'apprenez pas à lui tenir tête chaque fois qu'elle se présente, elle reviendra vous hanter plus tard — et son impact en sera doublé.

Examinons, si vous le voulez bien, quelques-unes des raisons pour lesquelles certaines personnes feront l'impossible pour éviter d'avoir à y faire face. En premier lieu, nous savons que la réponse instinctive à la solitude, c'est la peur. Nous savons aussi que, en tant qu'êtres humains, nous sommes enclins à avoir peur de ce que nous ne connaissons pas.

Le fait que la solitude puisse être pénible suffit à en effrayer certains, ce qui se comprend fort bien. Ils font alors des efforts effrénés pour y échapper parce qu'ils craignent de ne plus arriver à contrôler certains des contrecoups de la solitude — sentiments de "maladie", d'instabilité, de vide, de désir ardent ou de privation. Lorsqu'il s'agit de solitude, les gens sont si occupés à fuir qu'ils ne s'arrêtent jamais pour essayer de voir ce qu'elle est exactement ou pourquoi elle leur fait si peur. Courir de distraction en distraction semble bien plus facile que de la regarder en face.

Finalement, cette solitude, nous ne voulons guère l'admettre, pas plus pour nous-même que pour les autres. Nous sentons bien ce qu'elle implique, que, d'une manière ou d'une autre, nous avons un manque. Il est en vérité très difficile d'exprimer les sentiments de néant et d'échec qu'elle sécrète. Nous ne voulons pas que les autres sachent ce que nous ressentons de peur qu'ils profitent de notre fragilité ou, pis encore, qu'ils nous confirment dans le peu de valeur que nous nous accordons à nous-même. On trouve préférable de se construire une façade sûre qui nous tient à l'abri de tout.

En dépit cependant de nos refus, l'anxiété et le sentiment d'échec persisteront, révélant le besoin que nous avons d'apprendre à en finir avec cette solitude morale qui va souvent de pair avec la solitude.

Malheureusement, on ne peut en sortir qu'en la traversant. La contourner, c'est risquer qu'elle nous rattrape dans un second temps. Il vaut beaucoup mieux la rencontrer en face à face, l'analyser, la comprendre, la saisir à bras-le-corps et s'en faire une alliée. Si on se rend à son évidence au lieu de la nier, on pourra plus facilement en venir à bout.

Plutôt que d'en avoir honte, comprenez qu'il s'agit là d'un sentiment humain. Si vous pouvez arriver à dire "Je me sens seul" vous aurez fait un premier pas — et de taille! — vers la victoire dans le combat que vous livrez à la solitude.

Phase I: laissez-vous aller à votre solitude

Nous avons presque tous tendance non seulement à éviter de nous trouver seuls, mais à aller secourir quiconque nous semble en proie à la solitude. Il est assurément difficile de ne pas bouger lorsque quelqu'un est en train de souffrir, mais il arrive qu'en voulant l'aider nous lui fassions du mal. Car, sans y prendre garde, nous lui refusons l'occasion d'affermir son caractère; or, c'est une retombée non négligeable de la lutte contre la solitude que la compréhension de sa propre solitude et sa prise en charge.

C'est tout un art que d'apprendre à composer avec sa solitude, voire l'un des défis les plus grands qui puisse se présenter dans la vie. Nous avons dit plus haut combien il était important de se mesurer à elle en face à face. C'est, de fait, le meilleur départ qu'on puisse prendre:

- *Faites face.* N'ayez pas peur d'avouer ce que vous ressentez. Le fait est que vous ne pouvez rien faire pour réduire le problème tant que vous n'avez pas d'abord reconnu ce qui vous tourmente.

- *Acceptez*. Sachez qu'il y a des moments et des situations dans la vie de chacun qui donnent lieu à un sentiment de solitude, que les autres soient ou non d'accord pour l'admettre. Une certaine dose de solitude dans la vie est prévisible.

Ne tentez pas d'y échapper en vous sauvant. Ce genre d'attitude ne fera qu'empirer les choses après coup. Ne vous complaisez pas dans les sentiments qu'elle engendre, mais ne paniquez pas non plus. Prenez le temps d'analyser les effets qu'elle a sur vous et décidez ce que vous pouvez faire à ce sujet.

- *Prenez l'avantage*. Votre désarroi et votre peur s'atténueront dès que vous aurez identifié les sources du problème et que vous chercherez à agir sur les facteurs qui engendrent votre sentiment de solitude. Chaque fois que j'éprouve le désir d'être avec quelqu'un, par exemple, j'invite une amie à la maison ou je lui propose d'aller souper dehors; mon moral remonte immédiatement.

Les deux visages de la solitude

La solitude se présente à moi sous deux aspects différents. Il y a des fois où le sentiment d'être seule surgit brusquement et, semble-t-il, arbitrairement. Lorsque cela se produit, je n'ai pas de mal à le chasser. Bien souvent, un acte tout simple — un petit changement apporté à ce que j'avais prévu — suffit à renverser la situation.

D'autres fois, la solitude est quelque peu plus difficile à combattre. Au lieu de se manifester soudainement puis de s'en aller aussi vite, elle se présente plutôt comme une *période de solitude*, c'est-à-dire qu'elle commence insidieusement, est plus difficile à détecter et ne répond pas aussi vite au traitement. Pour s'en débarrasser, il faut s'en occuper bien davantage.

Je me souviens avoir remarqué, au temps où vivre seule était nouveau pour moi, que les jours où je ne travaillais pas, prenait place un "schéma" très défini de solitude. Les heures qui séparaient le moment où je terminais les menus travaux de la maison — en général, vers le milieu de l'après-midi — et le souper étaient invariablement pour moi des heures de grande solitude.

C'était peut-être l'ennui qui expliquait mon sentiment de solitude, ou encore l'absence de quelqu'un avec qui échanger. Quoi qu'il en soit, je n'eus pas trop à subir de ces périodes de tristesse car je compris assez vite qu'il fallait faire quelque chose.

À partir de l'instant où j'en pris conscience, je prévis toujours quelque chose d'agréable pour occuper cette période de possible solitude. Parfois j'allais voir des gens ou j'entrais dans une librairie pour bouquiner. D'autres fois, je m'essayais à faire de la cuisine ou j'allais voir un film ou encore je me rendais dans une épicerie fine. Mais plus jamais je ne restai à me sentir mal et à me demander ce qui n'allait pas.

Une fois que vous avez identifié ce qui vous fait vous sentir seul, vous êtes mieux armé pour en venir à bout. Prenez acte de votre solitude lorsque vous en souffrez et essayez de découvrir ce qui l'a amenée. Lorsque vous pouvez mettre le doigt sur ce qui l'a causée, vous n'êtes pas loin d'en avoir raison. Bien souvent, un geste très simple suffit à la dissiper.

- *Utilisez-la.* Transformez votre solitude en quelque chose d'enrichissant pour vous. Faites-la tourner à votre avantage en prenant l'initiative de la manipuler. Vous renforcerez ainsi votre confiance en vous — et cette confiance est votre bien le plus précieux pour vous qui vivez seul. Utilisez-la comme l'occasion de mieux vous connaître et de mieux connaître vos pensées, vos sentiments et vos perceptions. Voyez ces périodes de solitude comme l'occasion de vous développer sur le plan personnel, et non comme des moments redoutables par lesquels il vous faut, hélas, passer.

Lorsque vous aurez acquis l'art de surmonter votre solitude, vous constaterez que vous avez "converti" votre panique, votre apitoiement sur vous en une sorte de sérénité et de confiance en vous qui ne laisseront pas de vous étonner. L'énergie émotionnelle positive que vous aurez investie dans cette victoire sur votre solitude vous sera en fin de compte restituée.

C'est une tâche difficile: elle exige une activité dirigée — pas une dérobade. En fait, une attitude passive de votre part ne ferait vraisemblablement qu'aggraver votre sentiment d'être seul.

Pour finir, rappelez-vous que ce n'est pas parce que vous aurez triomphé d'une certaine solitude que vous serez pour autant assuré de ne plus jamais la rencontrer. Mais si cela se produit, votre adresse à lui faire face, à l'accepter, à la mater et à l'utiliser à votre profit vous la rendra plus familière et moins pénible à chaque fois.

Découverte de soi et croissance personnelle

Passé les premières expériences du désespoir, l'expérience de la solitude peut-elle être pour vous un facteur de croissance personnelle? Peut-elle, par là, donner une impulsion à votre découverte de vous-même? Lorsque la solitude vous pèse, il semble quasi impossible d'en attendre un bénéfice, affectivement parlant. Bien au contraire, on a souvent l'impression, dans ces moments-là, que le moi affectif régresse jusqu'à un point de non-retour.

À partir des combats que j'ai moi-même livrés à la solitude, j'en suis venue à cette double assertion: survivre aux périodes de solitude vous donnera davantage confiance en vous, tandis que vous efforcer d'y échapper ne fera que nuire gravement à votre développement personnel.

Savoir qu'on peut affronter la solitude et en émerger suffit à donner véritablement de l'assurance. Le plaisir que l'on ressent à pouvoir de mieux en mieux la tolérer et, finalement, la maîtriser est la plus belle récompense qu'on puisse espérer.

Je crois vraiment que d'avoir appris à combattre efficacement la solitude m'a permis, beaucoup mieux que tout autre événement de ma vie, de progresser en tant que personne. Cette expérience est restée pour moi inégalée quant à mon mûrissement personnel.

Je ne veux pas dire pour autant que je n'ai plus de problèmes avec la solitude ou que, si j'en ai, je m'en sors toujours avec aisance. Je veux simplement souligner ceci, que savoir que je peux la contrôler au lieu de me laisser contrôler par elle, me donne un sentiment très rassurant de grande force.

Même si vous n'y avez pas réfléchi dans ces termes, vous pouvez utiliser vos périodes de solitude pour mieux pénétrer en vous-même et dans votre vie. En vous engageant dans la compréhension de votre solitude, vous irez droit au coeur de votre moi profond. Une critique constructive de ce moi vous amènera à une connaissance de vous plus intime que jamais.

C'est délibérément que j'utilise ici le mot "constructive". Il est trop tentant, lorsque vous vous sentez bas ou à l'envers, de retourner votre souffrance et votre colère sur la cible qui vous est la plus commode: vous-même. Cela ne sert strictement à rien de vous dire que vous êtes la personne la plus méprisable que vous connaissiez. Profitez plutôt de ce moment pour vous examiner avec le maximum d'honnêteté et d'objectivité; rendez-vous hommage là où vous le méritez et reconnaissez vos faiblesses là où elles se trouvent.

Vous aurez alors la chance de peindre un portrait de vous absolument unique, celui dans lequel se reflète votre humanité: contradiction des sentiments, inconséquences, points faibles et conflits. Mais aussi vos talents, tout ce qu'il y a de valable en vous, vos convictions et vos points forts. Vous parviendrez alors à une conscience de vos richesses et de vos capacités personnelles dont vous n'aviez aucune idée jusqu'alors.

Se connaître soi-même est, je pense, nécessaire à quiconque souhaite trouver un sens à la vie, faire un cheminement personnel et réaliser toutes ses potentialités d'être humain. Pourquoi ne pas tirer parti de ces périodes de solitude pour mieux et plus honnêtement qu'avant, atteindre à la connaissance de vous-même?

Si votre expérience ressemble tant soit peu à la mienne, cette connaissance toute nouvelle risquera d'ouvrir la voie à des relations humaines plus signifiantes et à une valorisation supérieure de la vie. Partir à la découverte de vous-même élargira vos horizons sociaux et personnels, et vous introduira à une vie beaucoup plus pleine de sens.

Vivant seul, vous êtes inévitablement coupé de toute compagnie humaine permanente. Cependant, c'est une expérience qui vous donne l'occasion de dévoiler des aptitudes et des ressources encore intactes, et de vous connaître d'une façon absolument unique.

Il est entendu que les périodes de solitude peuvent vous apporter souffrances et peurs. Mais elles vous font accéder à une conscience accrue de vous-même, à une capacité de progresser sur le plan personnel et à une perception différente, renouvelée de la vie.

Les tourments personnels qui parfois traversent notre solitude peuvent, si on sait les surmonter, être le début d'une expérience gratifiante de découverte de soi et l'accès à une compréhension de soi plus approfondie ainsi qu'à un plus grand amour de la vie.

Phase 2: renverser la solitude

La lutte contre la solitude comporte une autre dimension, peut-être opposée à celle qui consiste à s'y plonger puis à se colleter avec elle et à en triompher. Il ne s'agit nullement, par l'ajout de cette dimension, de réduire l'importance accordée à une confrontation directe et personnelle. Au contraire, j'y ajoute la touche finale — la cerise sur le gâteau. C'est ce que j'appelle l'approche des 3 A:

1. Maintenir une bonne *attitude*; escompter un résultat positif.
2. Aborder avec *agressivité* son problème de solitude.
3. S'engager dans des *activités* nouvelles, créatrices, agréables, qui ne requièrent la présence de personne d'autre.

Il est incontestable que, lorsqu'on vit seul, on se sent parfois envahi par la lassitude, le dégoût. La monotonie s'installe et, dans certains cas, la dépression lui emboîte le pas. Ce sont ces deux éléments combinés qui, en grande partie, rendent compte du problème de la solitude. Heureusement, il y a des choses que vous pouvez faire pour vous sentir plus en forme lorsque, et si, vous sentez cela venir.

Importance de l'attitude

Tout commence avec l'attitude. Le regard que vous portez sur une chose retentit directement sur la façon dont elle vous affectera. Un des conseils les plus judicieux qui m'ait été donné concernait un incident au cours duquel j'avais eu le sentiment de m'être fait avoir par mon partenaire dans une transaction. Le conseil était simple: reprenez toute l'affaire en la regardant autrement.

Cela peut sembler sot et même absurde mais, croyez-le ou non, j'employai toute mon énergie à me détacher, par la pensée, des côtés négatifs de la situation et à lui trouver ce qu'il pouvait y avoir de positif, sans jamais regarder en arrière. Ce qui m'était apparu comme un mot d'ordre s'était changé en réalité. Disparu, le petit nuage noir qui planait sur ma tête!

Bien des fois dans ma vie, ma capacité à réorganiser ma façon de penser a rendu positive une situation au départ négative. Je suis d'accord avec ceux qui disent que si vous vous attendez au pire, vous pouvez être sûr qu'il arrivera. Mais même alors, il n'est pas trop tard pour minimiser les effets destructeurs en refusant de s'appesantir sur tout ce qu'ils peuvent impliquer de négatif.

Ce qui importe, lorsque vous êtes aux prises, dans la vie, avec le délicat problème de la solitude, c'est de garder une attitude positive et d'entretenir l'espoir d'une issue positive. Rappelez-vous que tout est dans l'attitude: en restructurant votre façon de voir, en insistant sur les éléments prometteurs d'une situation donnée, vous arriverez à la faire tourner à votre avantage.

Adopter une approche agressive

Adopter une approche agressive est la deuxième, et importante, étape pour vous assurer une bonne prise sur votre problème de solitude. La solitude peut, parfois, vous rendre apathique — comme si vous n'aviez rien envie de faire. Pour y remédier, il suffit en général de partir faire quelque chose — de préférence, quelque chose que vous aimez.

Lorsque je ne savais pas encore comment réagir face à ce syndrome de solitude-apathie, j'y laissais à chaque fois le meilleur de moi-même. Mon apathie évoluait vers un état de torpeur intense, jusqu'à durer parfois des jours. Au début, je n'étais même pas capable de dire ce qui n'allait pas, mais, à deux ou trois occasions, je remarquai que si des pressions extérieures me forçaient à sortir de ma déprime, je me rétablissais sur-le-champ, je retrouvais mon énergie et je me sentais comme neuve.

J'en tirai une conclusion simple: puisque je me sentais tellement mieux lorsque j'étais obligée de sortir de mon apathie, ne pourrais-je pas me créer ma propre "obligation" et, par là même, éviter de tomber dans le piège pour commencer? Je ne fus pas longue à en reconnaître les symptômes et à me décider à une action immédiate.

Même lorsque je n'avais aucune envie particulière, je m'assurai d'avoir quelque chose à faire. Ce pouvait être aussi bête et aussi prosaïque que d'épousseter les meubles ou de prendre l'auto et aller faire un tour. Une fois enclenchée l'action initiale, mes pensées prenaient une autre direction et je me sentais mieux.

Comme l'activité forcée arrivait toujours à triompher de ma solitude, je me suis mise à préconiser une attitude agressive pour combattre ce problème. Un jeune célibataire, qui était aussi un très bon parti, me confia un jour que ce qu'il trouvait le plus dur dans sa vie, c'étaient les moments où il avait des accès de solitude.

Ces épisodes récurrents le mettaient à plat, jusqu'au moment où, comme il le dit, "j'ai utilisé une raquette de tennis pour parer au problème. Chaque fois que je sens venir un accès de solitude, je sors ma vieille raquette et alors, ou bien je défie quelqu'un à une partie ou bien je fais des services contre le mur. Ça m'aide énormément, cette façon agressive de procéder."

Je sais que cela peut paraître extrêmement simpliste comme approche surtout lorsqu'il s'agit d'un problème aussi complexe et éprouvant. Mais si celui qui souffre ainsi arrive à réduire la situation à cette simple alternative — je peux soit me vautrer dans ma solitude soit choisir d'y faire quelque chose — alors une orientation nouvelle est donnée, qui peut éviter bien des tourments.

Comme le disait ma grand-mère: "Changer d'activité, ça change les idées." Même si c'est quelque chose pour quoi vous avez le strict minimum d'intérêt — faites-le.

Établissez et entretenez des relations sociales

Quand on se sent seul on a, par-dessus tout, besoin de contacts humains. On ne saurait surestimer l'importance de ce type de contact. Il est essentiel, car il nous aide à maintenir notre équilibre et notre santé mentale. S'il vient à manquer, un sentiment de solitude risque de s'implanter, qui n'est pas facile à contenir.

Là aussi, une attitude agressive peut s'avérer utile. Trop de gens qui se sentent seuls attendent que les autres les contactent. Dans certains cas, l'attente est longue et la solitude finit par se régler d'elle-même.

Dans notre société, tellement mobile, bien souvent les familles ne vivent plus dans les limites géographiques restreintes d'autrefois. La famille étendue d'aujourd'hui est souvent éparpillée à travers le pays, et ses membres échoués à des kilomètres les uns des autres.

Beaucoup de petites villes qui, autrefois, assuraient à qui vivait seul un appui, un secours affectif, se sont fondues en de vastes banlieues anonymes. Aujourd'hui, les gens semblent plus réticents à tendre la main et à offrir leur aide, leur support. C'est en conséquence à celui qui vit seul de susciter ce soutien, dans la plupart des cas.

Ceci revient à dire que c'est à vous de prendre l'initiative de vous constituer votre propre réseau social — que vous devez sortir pour trouver des gens sur qui compter et établir avec eux les relations nécessaires.

Irène R., qui est veuve depuis peu, me confia qu'elle avait consulté un psychologue afin qu'il l'aide à supporter sa solitude. Le psychologue lui dit que son problème semblait directement relié à son "manque de famille étendue" dans la région.

Elle vivait sur la côte du Pacifique, et tous les membres de sa famille, à part une de ses filles, vivaient sur la côte Est. Son travail ne lui permettait pas d'aller s'installer près d'eux; tout ce qui lui restait à faire, c'était de se créer un réseau de connaissances.

Même si vous êtes bien adapté à la vie seul, il y aura toujours des moments où vous éprouverez le désir d'être avec d'autres. Il est alors important d'avoir des amis. Un bon ami vous apporte sa présence; il reçoit vos confidences; il est aussi une source de support affectif à nulle autre pareille. Nous oublions bien souvent que l'amitié peut combler nombre de nos besoins d'affection et de compréhension.

Un ami peut nous aider à prendre une décision; il est prêt à partager nos émotions, nos succès, nos expériences. Un bon ami nous procure joie et agrément. Aussi, ceux qui vivent seuls doivent-ils s'efforcer de maintenir à tout prix l'amitié qui les lie à ceux-là mêmes qui sont les plus susceptibles de combler leurs besoins.

Les gens seuls ont parfois tendance à se désintéresser de leurs amis. Il y a peut-être, derrière cela, l'impression qu'on est indésirable, ce qui s'explique souvent par les sentiments de rejet consécutifs à un divorce ou une séparation, ou par la condamnation sociale qui frappe ceux qui vivent seuls. Dans d'autres cas, ne pas faire signe à ses amis devient tout simplement une mauvaise habitude. Ne la laissez pas s'installer. Une bonne amitié ne se gagne pas si facilement.

Utilisez la manière forte pour garder ceux de vos amis qui vous sont précieux. Faites-vous un devoir d'appeler sans tarder celui ou celle dont vous n'entendez plus parler, invitez-le ou allez le voir. De cette façon, non seulement vous maintenez un contact régulier avec ceux que vous aimez, mais en plus vous vous ménagez une ou deux activités sociales dans la semaine.

Une autre façon de vous assurer cet apport d'une importance vitale qu'est le contact humain, c'est d'aller faire la connaissance de vos voisins. Faites un choix, bien sûr, mais prenez le temps de bien connaître ceux qui vous paraissent intéressants. J'ai toujours eu la chance d'avoir des voisins absolument merveilleux. À mesure que mes relations avec eux s'intensifiaient, je me retrouvais, entre eux et mes amis, avec tout un tas de petites familles substituts autour de moi.

Par le soutien qu'elles vous procurent, les relations personnelles peuvent grandement vous aider à combattre votre solitude. Le choix judicieux de vos relations et le souci de les entretenir font partie des responsabilités les plus importantes que vous ayez à l'endroit de vous-même, en tant que personne vivant seule.

Les activités

Quand on vit seul, disait une de mes amies, on n'a personne "avec qui jouer". Si tel est votre problème, vous pouvez fort bien apprendre à vous amuser tout seul.

Un de mes professeurs de psychologie disait: "Chaque jour, vous devez avoir un bon moment." Pour celui qui vit seul et qui peut-être se sent seul, ce brin de philosophie a son importance.

Avant de savoir en faire l'application dans ma vie, je posais toujours mentalement cette question à mon professeur: "Comment puis-je passer un bon moment si je suis seule?" Avec le temps, cependant, je me suis lancée; j'ai tenté systématiquement de me ménager chaque jour un moment agréable en m'engageant dans des activités solitaires. Je dois avouer que les résultats de cette expérience, pourtant simple, m'ont étonnée.

À titre d'exemple, les premiers temps que j'étais seule, j'avais, par moments, vraiment envie de sortir pour manger un bon steak. Mais souper seule était plutôt considéré comme tabou. Après avoir passé plusieurs fois par-dessus cette envie folle de steak, je me mis à caresser l'idée d'aller toute seule dans un bon restaurant.

Pour être honnête, je dois dire que cela m'a demandé beaucoup de courage; lorsque je suis entrée et que j'ai demandé une table pour une personne, je me suis sentie gênée, mal à l'aise. Mais quand j'ai eu mon steak devant moi, quand je me suis mise à en savourer chaque morceau, toute ma gêne et tout mon trouble se sont volatilisés.

Non seulement j'avais enfreint le tabou, mais j'avais forcé le piège dans lequel je m'étais moi-même enferrée. J'avais réussi une "trouée"; cette expérience personnelle était pleine de sens pour moi, non seulement parce qu'elle m'autorisait à bâtir des projets gastronomiques excitants pour l'avenir mais — et c'était plus important — parce qu'elle me libérait de l'idée que je devais absolument être avec quelqu'un pour entreprendre de tels projets. Découvrir que vous pouvez avoir plaisir à faire des choses et à aller à certains endroits seule, cela ouvre tout un champ de possibilités nouvelles.

Apprendre à vous éveiller à des intérêts et à vous impliquer dans des activités qui vous procurent du plaisir peut être très gratifiant. Il vous faudra chercher, passer par quelques expériences de "trouée", mais lorsque vous réussirez, vous serez heureux de l'avoir fait.

Ce que vous faites est moins important que le fait d'avoir fait quelque chose. Faites quelque chose qui vous plaît: lancez-vous dans une activité physique, entreprenez une lecture, préparez un voyage, allez voir quelqu'un, faites des emplettes, étendez-vous au soleil. Gardez ceci présent à l'esprit: changer de rythme, changer d'horizon, cela peut faire des merveilles pour vous aider à supporter la solitude.

Sachez aussi qu'en vous engageant dans de telles activités, vous n'essayez pas de vous fuir ou de fuir votre solitude; vous acceptez l'occasion qui vous est offerte de vous y engager, avec l'unique souci de donner plus d'intérêt au temps que vous passez seul. Votre objectif n'est pas de vous dérober mais de rendre votre vie plus remplie en vous donnant toute une gamme d'activités et d'expériences inusitées.

Triompher de la solitude

Le titre de ce chapitre, "Combattre le sentiment de solitude", implique que, pour venir à bout de la solitude, il faut parfois se battre. C'est une bataille que vous pouvez bien ne pas gagner toujours. Il peut vous arriver de vous sentir affolé, désespéré, effrayé. Mais vous pouvez apprendre à vivre avec la solitude, à la surmonter et à survivre. Le plus important, c'est qu'en manoeuvrant avec succès vous devenez capable d'écarter la menace qu'elle fait peser sur tous ceux qui vivent en célibataires.

La capacité de vivre seul et d'en faire une expérience satisfaisante dépend, pour une large part, de votre capacité à affronter le sentiment de solitude et à l'appréhender de façon positive et constructive. Si vous évitez de vivre seul uniquement parce que cela implique de vivre avec sa solitude, vous risquez de passer à côté d'une occasion importante: celle d'accroître votre dignité, votre maturité et votre développement personnel.

La menace de la solitude est toujours en suspens. Il faut du courage pour l'accepter et pour y faire face franchement, ouvertement. Il faut du courage pour ne pas être effrayé ou accablé par la peur de se sentir seul.

N'ayez pas crainte d'aller jusqu'au bout de votre solitude. Les tactiques de fuite ne pourront jamais remplacer l'enrichissement et l'approfondissement que vous retirez de votre combat avec elle. En arrivant à la maîtriser, vous vous sentirez plus fort et plus pleinement en possession de vos richesses intérieures.

Au début, l'expérience de la solitude peut être effrayante, terrifiante même, mais à mesure que vous avancez dans le combat que vous livrez, vous verrez augmenter votre confiance en vous.

L'expérience de la solitude peut vous donner au début le sentiment que vous avez perdu quelque chose, mais dès que vous arrivez à la contrôler, elle donne à votre vie une profondeur, une conscience et un sens qu'elle n'avait pas. La bataille que vous aurez menée contre la solitude servira de tremplin à votre croissance personnelle. C'est une expérience qui contribuera à votre mûrissement.

En parvenant finalement à triompher de votre solitude, rappelez-vous bien que c'est un problème qui relève véritablement d'une solution personnelle, privée. Personne ne peut le régler pour vous. Les autres peuvent vous aider, mais ils ne peuvent effectuer le lent et minutieux travail par lequel on arrive à lever l'obstacle de la solitude. C'est à vous qu'il incombe de le faire.

4

Supporter la solitude

Parmi ceux qui vivent seuls, il en est qui acceptent volontiers la notion de solitude — être seul physiquement parlant. Ils aiment retrouver la paix et la tranquillité dans lesquelles ils vivent. Ils tiennent beaucoup à leurs moments de solitude pure et, dans certains cas, la préservent jalousement[1].

À l'autre bout de cette quasi-béatitude, il y a ceux qui ne voient dans ce genre d'existence absolument rien de positif. Pour eux, la solitude comporte bien des possibilités — lesquelles, en général, se résument à cette unique question: *comment puis-je pallier efficacement l'absence de quelqu'un dans ma vie?*

Tant que vous ne pourrez y répondre positivement, et que vous ne trouverez pas une façon de rendre votre solitude agréable à vivre, vous verrez vos chances d'aimer vivre seul se réduire de beaucoup.

---

1. Beaucoup de ceux-là laissent savoir qu'ils ne souhaitent pas voir quelqu'un venir violer leur douce intimité.

Compenser l'absence

Ne pas pouvoir s'appuyer sur quelqu'un: c'est à cette pénible évidence que font face ceux qui vivent seuls. Personne avec qui faire des projets, personne avec qui rentrer chez soi, personne avec qui échanger des idées ou son vécu. Il faut manger seul, dormir seul, passer beaucoup de temps seul.

Vivre seul, c'est assumer toutes les responsabilités, depuis l'entretien de l'auto jusqu'à l'administration du budget. Il n'y a aucun concours à attendre pour une décision à prendre, une tâche à partager, personne sur qui compter quand le besoin se fait sentir d'une aide financière.

Le manque d'une présence affective, d'une intimité à deux — ce manque qui caractérise une vie solitaire, est quelque chose de très perturbant, de très douloureux. Parce qu'il n'y a personne à côté qui pense à eux et à qui en retour ils peuvent penser, beaucoup de ceux qui vivent seuls ont en eux un sentiment de vide. Récemment, une femme, qui a passé la plus grande partie de sa vie seule et qui s'y est bien adaptée, m'a dit que, malgré tout, il lui manque cruellement une présence.

"Ne pas être à quelqu'un, ne pas être aimée et n'avoir personne à aimer, c'est une souffrance qui, par moments, m'atteint profondément. Je crois que, pour un être humain, il est fondamental d'avoir une relation continue, qui vous nourrit. Car il faut le reconnaître, les adultes aussi ont besoin d'être nourris. J'ai besoin de chaleur, de tendresse — d'une simple présence, parfois. Je n'ai rien trouvé pour remplacer cela."

Fondamentalement donc, ce qui manque aux personnes vivant seules, c'est la présence physique constante de quelqu'un qui peut, outre sa compagnie, offrir attention, amour et sécurité. Quand on vit seul, bien souvent il n'y a aucun réconfort à attendre si on a des ennuis ou si on tombe malade ou si on a besoin d'aide. Pour certains, cette absence constitue un vide énorme qu'il leur faut combler par d'autres moyens.

Les questions clés semblent être: Comment puis-je le mieux avancer sans personne avec moi? Puis-je trouver des façons de satisfaire à mes besoins dans ce domaine, et, par là, atténuer tout ce qu'il y a de négatif dans ma situation? Finalement, est-ce qu'il y a des façons efficaces de pallier l'absence que je ressens?

Plutôt que de répondre une par une à ces questions, je vais leur donner une solution en quelque sorte collective:

- *Sentez-vous davantage responsable de vous.* Plus vous vous sentez responsable de vous et de votre qualité de vie — plus vous attendez de vous, et non des autres, force et appui — moins vous êtes susceptible de souffrir de l'absence de quelqu'un dans votre vie.

- *Travaillez beaucoup à cultiver vos amitiés et à renforcer vos liens familieux.* Amis et parents sont les alliés les plus importants de celui qui vit seul. Les uns comme les autres sont là pour s'occuper de vous, pour vous soutenir. Si vous les impliquez régulièrement dans votre vie, cela vous aidera à rendre moins négative votre solitude.

- *Faites votre possible pour vous valoriser.* Efforcez-vous d'avoir une apparence physique attrayante, continuez à vous instruire, à vous engager dans des activités ou des recherches qui en valent la peine. Quand on a hautement conscience de sa valeur, on attend moins des autres qu'ils nous aident à raffermir une image défaillante de nous.

- *Organisez-vous pour supporter la solitude.* Prévoyez quelque chose pour les moments où vous savez que vous vous sentirez seul. Variez vos activités de façon à faire alterner celles que vous pratiquez le mieux seul avec celles qui nécessitent la présence des autres. Prévoyez une occasion spéciale pour vous au cas où, quoique vous fassiez, vous serez seul. En organisant soigneusement votre emploi du temps, vous pourrez réduire de beaucoup l'impact négatif des moments de solitude.

• *Ayez quelqu'un à qui vous pouvez toujours téléphoner en cas d'ennui, d'accident physique ou de maladie.* Ce peut être très apaisant, très rassurant de savoir qu'il y a quelqu'un qui, en cas de besoin, prendra soin de vous et vous apportera son réconfort. Convenez d'un arrangement particulier avec l'une de vos connaissances ou l'un de vos amis ou un voisin pour qu'il soit cette personne.

Il faudrait être irréaliste pour imaginer qu'on peut compenser à 100% l'absence d'un autre dans sa vie. À moins d'être un parfait, et heureux, ermite, il y aura des jours où, quelque bien adapté et préparé que vous soyez, il sera bien pénible d'être seul.

Pas d'idées noires pendant les fêtes

Il y a des circonstances où ce n'est vraiment pas drôle d'être seul — particulièrement les repas, les vacances, les fins de semaine (et plus encore le samedi soir), et de façon générale tous les moments qui sont faits pour être vécus ensemble. C'est dans ces occasions que ceux qui souffrent d'être seuls doivent s'accrocher pour que leur solitude aille plus dans le sens d'une expérience de vie et moins dans celui d'une expérience d'isolement.

Les fêtes

Les fêtes peuvent être génératrices de dépression aiguë chez les personnes seules. Elles sont d'ailleurs parfois difficiles même pour ceux qui sont heureux de vivre seuls. On ressent quelque chose comme "Tout le monde est heureux sauf moi". Je suis cependant heureuse de vous l'apprendre, c'est en train de changer.

Dans ma famille, les fêtes avaient une signification traditionnelle bien spécifique. Que ce soient les beignes faits à la maison par maman, à l'occasion du 4 juillet [1], ou les grands repas donnés lors du jour de l'Action de Grâces, le rituel augmentait la joie que nous éprouvions à être ensemble. Lorsque je m'envolai du nid familial, j'inventai une façon différente de les passer: en faisant des choses qui, pour moi, avaient un sens particulier.

Aujourd'hui, je vois dans ces événements une occasion pour m'occuper, mettre en train des projets — et puis aussi, c'est si facile d'y inclure les autres. Cela fait du bien de découvrir comment chacun se crée ses habitudes à soi — inviter tous les amis à venir décorer ensemble le sapin de Noël, recevoir à la fortune du pot pour Pâques, faire un barbecue pour la fête du Travail. De nouvelles traditions s'installent avec les amis, et les fêtes ne font plus peur.

Si, en dépit des circonstances, vous avez quand même du mal à passer les jours de fêtes, dites-vous que les fêtes ne dureront pas toujours. Vous, vous *êtes capable* de passer au travers d'elles.

Les fins de semaine

"Le samedi soir — le soir où on se sent le plus solitaire." Je ne sais pas trop comment est née cette expression, mais il y a bien des chances pour qu'elle soit l'oeuvre de quelqu'un qui, parce qu'il était seul, était exclu des activités et amusements habituels du samedi soir.

La fin de la semaine, et tout particulièrement le samedi soir, c'est, dans notre société, vraiment "les jours avec", et je considère que la société est en partie respon-

---

1. N.d.É. Fête de l'indépendance américaine.

sable de la situation particulière des gens seuls, dans ces moments-là. On leur dit que, s'ils ne font rien le samedi soir, ils *doivent* se sentir seuls.

J'ai parlé avec beaucoup de gens seuls qui disent qu'ils se débrouillent très bien tous les soirs de la semaine, excepté le samedi. Je me dépêche toujours de leur assurer que, s'ils peuvent tenir le mardi ou le mercredi, ils peuvent tout aussi bien tenir le samedi.

Nous sommes souvent victimes de cette façon de raisonner qui nous fait dire que, puisque nous sommes censés nous sentir seuls, nous devrions agir en conséquence. Alors, le samedi soir, nous restons là à ressasser notre tristesse. Essayez d'oublier que c'est samedi soir, puisqu'il le faut! Faites comme si c'était n'importe quel soir de la semaine, prenez un bon livre, écrivez à un ami. Faites-vous quelque chose de spécial — un filet mignon pour le souper, peut-être.

Si vous êtes de ceux qui, sociables, aiment la compagnie, rompez délibérément avec les modèles qui vous imposent des contraintes. Invitez des gens chez vous — donnez une réception, si vous en avez envie, ou faites venir un ami pour regarder un film à la télévision en mangeant du maïs soufflé. Montrez-vous, promenez-vous, faites savoir que vous êtes disponible pour des sorties. Vous rencontrerez probablement d'autres personnes qui désirent établir des relations, elles aussi. Ne faites pas le dédaigneux, ne laissez pas l'orgueil vous barrer le chemin. Sortez et mêlez-vous aux autres.

La chose la plus importante à faire, c'est de continuer à travailler sur vous-même de façon que les fins de semaine deviennent des moments agréables à passer. Un homme m'a avoué qu'il s'était épuisé à faire tous les bars avant d'en arriver à admettre qu'il pouvait passer le samedi soir chez lui.

"Maintenant, je peux rester seul chez moi le samedi soir, et être bien avec moi, me dit-il. Je lis, je regarde la télévision, je prends un verre tout seul et ça ne me dérange pas. En fait, ça me plaît beaucoup plus que d'aller dans les bars, mais je crois qu'il fallait que je fasse cette expérience pour pouvoir apprécier un samedi soir tout seul."

Les repas

Nous aborderons la question des repas dans d'autres parties de cet ouvrage. Si nous en parlons ici, c'est parce que beaucoup de gens citent les repas comme les heures les plus solitaires quand on vit seul. Je comprends ce qu'ils veulent dire, j'en ai moi aussi fait l'expérience.

Lorsque je vivais dans ma famille ou que je mangeais à la cafétéria du collège ou que je m'assoyais avec mes compagnes de chambre, le repas était une espèce de rencontre sociale — un prétexte à retrouvailles, un moment où l'on pouvait, à propos des événements de la journée, "discuter et disputer".

Pendant la première année que j'ai passée seule, j'ai remarqué qu'un sentiment de désappointement me saisissait chaque fois que c'était l'heure de manger. La nourriture perdait pour moi tout attrait, je mangeais juste pour survivre et je devins une ravissante et maigrichonne jeune fille. Mais, comme je l'explique dans les autres chapitres, j'ai trouvé des façons de régler ce problème. Vous aussi, si vous suivez quelques-unes de ces suggestions:

- *Faites de votre mieux pour rendre sympathiques vos repas solitaires.* Achetez de la nourriture fine. Essayez de nouvelles recettes. Vos aventures culinaires seront si agréables que vous en oublierez que vous êtes en train de les vivre seul.
- *Lisez en mangeant* ou, si cela vous dit, faites comme beaucoup de gens seuls: mangez avec votre téléviseur.

Faites tout ce que vous pouvez pour rompre la monotonie de ces repas seul. Trouvez-vous de temps en temps des gens avec qui manger. Invitez un ami à souper (en retour, il peut vous arriver de recevoir une invitation). Arrangez-vous pour prendre un repas à l'extérieur avec des amis, de temps à autre.

Mon grand-père, une fois veuf, avait établi des liens d'amitié avec une femme charmante qui vivait dans le même immeuble que lui; pendant plus de quinze ans, ils se sont tenu compagnie à l'heure du souper. Ils partageaient aussi tous les plaisirs qui vont avec: préparer le menu, faire le marché et cuisiner les plats.

Si une telle occasion s'offre à vous, tirez-en profit par tous les moyens possibles. Si vous devez manger seul, astreignez-vous à préparer des repas savoureux et nourrissants, pour vous. Plus important encore, si la personne que vous aviez invitée ne vient pas, ne laissez pas le repas tourner à la catastrophe.

Trop de gens seuls se laissent aller à de mauvaises habitudes alimentaires lorsqu'ils n'ont personne qui leur prépare le repas ou qui mange avec eux. Cela peut entraîner une détérioration de la santé physique et mentale; votre nutrition est bien trop nécessaire à votre bien-être pour que vous la négligiez sous prétexte que vous mangez seul la plupart du temps.

Survivre à la mélancolie de la solitude

En conversant avec des gens qui vivent seuls, je suis souvent repartie avec l'impression très nette que beaucoup de ceux qui luttent contre la solitude se croient spécialement vulnérables à la dépression. Ils ont l'air de penser que, parce que de par la nature de leur existence ils sont forcés à vivre tellement à l'intérieur d'eux-mêmes, ils sont plus sujets à ses attaques que ceux qui peuvent utiliser la présence des autres comme un exutoire, ou comme une force qui contrebalance le risque de dépression. Je ne suis pas sûre que leur hypothèse soit valable, mais je sais que ce sentiment existe.

Il n'est pas rare, je crois, que les gens qui commencent tout juste à vivre seuls soient plus vulnérables à la dépression qu'ils le seraient une fois adaptés. S'il s'agit d'une dépression grave et si la guérison est lente à venir, ils en garderont un souvenir pénible, à jamais associé à cette façon de vivre.

La dépression peut amener à voir les choses de façon irréaliste et, malheureusement, une perception déformée s'entretient souvent d'elle-même. Vivre seul peut être perçu comme un mode d'existence misérable. Pour ceux qui sont en proie aux affres de la "mélancolie d'être seul", le futur est semblable à un désert. Ils se prennent en pitié. Ils sont là à ressasser ce qu'ils ressentent, à savoir que tout est pourriture, et du coup se sentent encore plus mal. C'est un vrai cercle vicieux. Ils sont de plus en plus convaincus qu'ils ne seront jamais capables de surmonter leur dépression.

Réussir à s'adapter à la vie seul est, en grande partie, fonction de la capacité à confronter et à vaincre ces inévitables périodes de dépression. Même si, dans la plupart des cas, la dépression tend à se dissiper après une brève période de temps, la question cruciale, pour qui la subit comme le résultat direct ou indirect de sa vie solitaire, est: qu'est-ce que je peux faire pour réduire l'apparition de ces tristes moments?

Voici les stratégies que peut suivre une personne seule pour couper court à une crise de dépression:

- *Soyez conscient que, lorsqu'on vit seul, on s'expose par le fait même à la dépression.* En être conscient vous aidera à libérer vos émotions et donc à les maîtriser.

- *Prenez conscience de ce qui provoque votre crise*: tentez d'en identifier les raisons et de remédier à ses causes profondes avant que la dépression ne s'installe vraiment.

- *Mettez au point des exutoires constructifs, créatifs*. Autrement dit, faites tout ce qui vous stimule mentalement, qui vous permet de vous concentrer sur un objet extérieur à vous-même. S'impliquer dans une recherche éducationnelle ou culturelle en est un exemple.

- *Gardez-vous en forme, mentalement et socialement*. Vous n'avez pas besoin d'avoir l'esprit grégaire ni d'avoir des tonnes d'amis, mais vous avez bel et bien besoin d'un réseau social solide sur lequel vous pouvez compter.

- *Impliquez-vous dans votre travail ou investissez profondément dans quelque autre activité*. En vous engageant en quelque sorte ainsi, vous vous ménagez des points d'intérêt dans la vie et vous vous assurez une structure, une sécurité et un sentiment d'appartenance.

- *Ayez l'oeil sur votre actif*. Pensez-y régulièrement. N'oubliez pas ces deux bienfaits: être en vie et avoir une bonne santé.

- *Insistez sur ce que vos idées ont de positif et rejetez ce qu'elles ont de négatif*. Apprenez à voir votre situation d'un point de vue qui marche bien pour vous.

- *Efforcez-vous de trouver agréable votre vie quotidienne*, c'est-à-dire prenez le temps de goûter et d'apprécier tout ce que vous voyez, tout ce que vous entendez, les situations dans lesquelles vous vous trouvez — comme le plaisir qu'offre un coucher de soleil spectaculaire, une promenade matinale faite d'un bon pas; ou alors, lancez-vous dans votre activité favorite, organisez quelque chose avec votre famille, vos amis ou vos connaissances. Mieux vous êtes capable de faire tout cela, plus vous réduisez la probabilité que survienne une dépression.

- *Commencez chaque journée avec un objectif.* Faites-vous un emploi du temps pour la journée, et de façon bien détaillée. Suivez-le comme il faut.
- *Cherchez l'aventure.* Soyez agressif dans votre attitude face à la vie. Impliquez-vous en faisant quelque chose de stimulant et de constructif.

Si vos efforts, même acharnés, échouent à éviter la dépression, voici des suggestions qui vous aideront à surmonter le découragement ou l'apathie qui peuvent s'emparer de vous.

- *Mettez-vous en démarrage automatique.* Poussez-vous vers ce que vous savez être une activité positive. L'effort est excellent pour traiter la dépression.
- *Évitez l'ennui.* L'ennui est une composante majeure de la dépression. On peut essayer de rompre la monotonie en se lançant à la recherche de nouvelles expériences.
- *Faites une liste de ce que vous aimez faire.* C'est une bonne façon de vous rappeler qu'il y a des choses qui vous font vous sentir bien.
- *Forcez-vous à être avec des gens une partie du temps.* Être seul trop longtemps n'est bon pour personne. La compagnie d'êtres humains rompt la monotonie, crée un équilibre et rend le temps qu'on passe seul plus facilement agréable. Faites-vous un devoir de rester régulièrement en contact avec le monde extérieur. D'*autres* gens existent ailleurs. Beaucoup de groupes de personnes seules reçoivent et s'occupent ensemble. Beaucoup d'organisations communautaires sont disponibles, qui vous permettent d'établir un contact humain.
- *Ayez plus confiance en vos capacités.* Ne restez pas là à vous dire que vous êtes impuissant. Trouvez un passe-temps, lisez des livres intéressants, allez au gymnase ou dans un club d'athlé-

tisme. Faites tout ce qui peut vous aider à vous estimer davantage.

- *Apprenez à vous choyer.* Nous accordons généreusement nos soins à tous, excepté au seul qui importe le plus à chacun de nous: nous-même. Cette idée de se choyer ou de se gratifier peut sembler incongrue, mais c'est une façon efficace d'atténuer une dépression. Ne vous laissez pas arrêter par le sentiment que ça ne se fait pas. Offrez-vous un cadeau — quelque chose de nouveau à porter ou un livre à lire. Achetez-vous un objet luxueux — quelque chose qui vous fait vraiment envie mais que vous hésitez à acheter pour vous. Vivre seul a ses bons côtés — comme celui de vous donner l'occasion de vous gâter. Laissez-vous aller à vos caprices!

- *Parlez avec un ami.* Exprimer ses émotions, sans retenue aucune et avec sincérité, soulage les tensions affectives liées à la dépression et hâte la guérison. Une conversation avec un ami véritable, c'est parfois toute la différence entre régresser et progresser au cours d'une dépression. N'ayez pas peur de vous confier. Ce n'est pas un signe de faiblesse que d'être déprimé; cela fait partie de notre condition humaine.

- *Essayez d'aider quelqu'un d'autre.* Vous mettre au service des autres vous aide à vous sortir de vous-même et vous fait oublier vos problèmes. Beaucoup d'organismes charitables recherchent des volontaires. Non seulement vous serez pour les autres celui qui rend service, mais vous vous sortirez *de chez vous* et vous vous ôterez vous-même *de votre esprit.*

- *Faites de l'exercice physique.* Le rôle de l'activité physique dans l'inversion du processus dépressif est bien connu. L'exercice procure un plaisir des sens qui, à son tour, agit comme stimulant de l'activité cérébrale.

- *Prévoyez un changement de décor.* Vous éloigner de votre environnement immédiat peut être merveilleux pour vous remonter le moral. Un changement de milieu, même temporaire, peut vous détendre et vous aider à vous réorienter, psychiquement parlant.
- *Ne faites rien qui puisse faire empirer votre état.* Par exemple, boire seul, ce n'est pas une bonne idée pour quelqu'un de déprimé; écouter de la musique triste ou regarder un film triste ne pourra que vous donner des idées noires.
- *Allez chercher de l'aide auprès d'un conseiller professionnel.* Si vous trouvez que votre situation est insupportable, il y a des conseillers professionnels qui connaissent le syndrome dépressif et qui sont habilités à vous aider pour en sortir. Parlez de vos problèmes avec des gens qui peuvent faire quelque chose pour vous plutôt que de rester avec vos frustrations en travers de la gorge.

Il y a toujours moyen de s'en sortir

Pendant les années où je vivais seule, j'ai passé par bien des périodes de dépression — la plupart dues au fait que je restais beaucoup trop de temps seule. J'ai beaucoup souffert jusqu'au moment où j'ai pu agir avec plus d'efficacité sur ma tristesse. J'ai mis en pratique chacune des recommandations mentionnées plus haut et j'ai obtenu de bons résultats.

Au commencement, j'avais tendance à laisser la dépression m'envahir et m'empoigner de sa douleur. Je devenais apathique — parfois même je sombrais dans la torpeur. Je déclinais les invitations, me dérobant ainsi aux contacts dont j'avais si désespérément besoin. Au cours de l'un de ces accès, un ami refusa de considérer mon "non, merci" comme la réponse à l'invite qu'il me faisait d'aller faire une promenade dans les montagnes. Il n'y avait pas cinq minutes que nous étions sur la route que ma dépression commençait à se dissiper. Ce fut une leçon pour moi.

Une autre fois, alors que, vivant à l'extrême à l'intérieur de moi, je me sentais bien trop bas pour affronter le monde, j'appelai à mon travail pour dire que j'étais malade. Puis, durant une heure, je restai assise au bord du lit. Je me sentais malheureuse et ne savais pas quoi faire. Finalement, en désespoir de cause, je pris le téléphone et appelai ma voisine. La gorge serrée, je lui dis que j'avais besoin d'aide (ce qui était significatif de ma part car je n'avais jamais été capable d'admettre ce genre de chose devant qui que ce soit). Elle m'invita à venir la voir et, tout le temps que je lui parlai de moi, m'écouta attentivement. Lorsque je rentrai chez moi, je me sentais comme neuve. Une autre leçon d'apprise.

Les distractions ne sont jamais difficiles à trouver. Si je me sens déprimée parce que j'éprouve le besoin d'être avec des gens et que je suis incapable d'établir le moindre contact, c'est parfois à ma radio que je demande secours. Dans mon coin, un des grands réseaux diffuse vingt-quatre heures sur vingt-quatre des émissions avec des invités. Lorsque je syntonise ce poste, tous ces gens-là me tiennent compagnie pendant des heures. Je ne me sens plus seule du tout.

Avec les années, j'ai appris à reconnaître à leur tout début les symptômes de la dépression, et j'ai appris à en inverser les effets avant qu'il ne soit trop tard. Je me dis simplement ceci: "Tu peux ou bien laisser ton humeur gruger le meilleur de toi ou bien esayer de faire quelque chose." Ce "quelque chose" peut être n'importe quoi: restructurer mes pensées selon une perspective plus positive, m'arranger pour changer quelque temps de milieu, faire du jogging autour du pâté de maisons. Je considère que, lorsque je déclare la guerre à la dépression, j'ai l'habitude de gagner.

La chose importante, c'est d'être conscient que la dépression ne survient pas à l'improviste. Par conséquent, prévoyez à l'avance ce que vous ferez quand elle menacera. À vrai dire, les stratagèmes particuliers que chacun choisit d'utiliser dépendent de la nature ou de la cause profonde de la dépression. Mais essayez de vous y préparer mentalement pour, autant que possible, parvenir à en limiter les effets.

La rigidité: un des dangers de la solitude?

Vivre seul comporte un danger potentiel constant: la rigidité. Ce danger est lié au fait qu'on n'a pas à s'ajuster, jour après jour, à quelqu'un d'autre. Mais c'est quelque chose à quoi vous pouvez ne pas avoir beaucoup pensé tant que vous n'êtes pas, vous aussi, tombé dans son piège.

Je me souviens d'un incident, pendant mon collège. C'était au cours de géométrie. Ma compagne me prit par l'épaule et me chuchota un potin à propos de notre monitrice, laquelle était une vieille fille. Le bruit courait en ville que, après bien des années à vivre seule, elle était à ce point enfoncée dans ses habitudes que chaque soir, avant de regagner sa chambre, elle disposait une allumette — une seule, près du brûleur à gaz sur lequel elle avait installé sa cafetière toute prête pour le lendemain matin. "Oh! la la, pensai-je, jamais je n'irai jusque-là." Mais je ne pensais pas non plus avoir à vivre seule, à ce moment-là.

Éviter le piège de l'inflexibilité

Il y a un piège, naturel presque, dans le mode de vie solitaire, qui est celui de la rigidité — on finit par tenir à ses habitudes au point de ne plus vouloir en changer. J'ai engagé une bataille personnelle de longue haleine pour ne pas tomber dans ce piège. Sans personne pour déranger votre ordre ou vous obliger à modifier vos manies, il ne s'écoule pas grand temps avant que vous preniez l'habitude de faire les choses à votre façon.

Ceci peut bien ne pas avoir que des inconvénients mais, d'après ce que j'ai pu constater, il s'ensuit généralement des problèmes pour les gens seuls qui tombent dans ce piège, moi y comprise. On peut facilement devenir intraitable et considérer que, si ce n'est pas fait comme on a l'habitude de le faire, ce n'est pas bien fait. C'est là un type malsain de rigidité, et générateur de tension tout autant pour celui qui le manifeste que pour celui qui croise son chemin. Je peux en témoigner, la rigidité fait fuir les gens.

Il ne vous viendrait jamais à l'idée qu'une personne élevée dans une famille de neuf enfants puisse, en grandissant, devenir un adulte rigide. C'est pourtant ce qui m'est arrivé. C'est peut-être une réaction normale à l'effort que, jeune, j'ai dû fournir pour m'adapter, pendant de si nombreuses années, à d'autres. Mais j'ai plutôt tendance à croire que c'est un trait de ma personnalité, que le fait de vivre seule a exacerbé.

La guerre que j'ai déclarée à mon intolérance, je suis loin de l'avoir finie. Ces dernières années, cependant, j'ai fait quelques progrès, je suis devenue plus souple. Je me sens donc autorisée à vous indiquer les procédés qui m'ont été les plus utiles, en espérant qu'ils pourront vous l'être aussi.

- *Changez vos façons de faire aussi souvent que possible.* J'ai avoué une fois à une psychologue professionnelle que je me sentais prise au piège de ma rigidité et que je voulais trouver une façon d'en sortir. Elle me recommanda, pour commencer, de changer systématiquement l'ordre dans lequel j'avais l'habitude de faire les choses, dans la première heure de la journée. J'hésitais à lui obéir, mais le résultat fut extraordinaire.

Sa recommandation eut pour effet de détourner mon intérêt de l'importance que j'accordais à l'*ordre*. L'idée était simplement de faire les mêmes choses — et comme cela venait. D'une certaine façon, c'était comme jouer à un jeu. Ceci était, en soi, détendant et m'aida à me départir de ma rigidité.

* *Trouvez le ou les facteurs qui contribuent le plus à votre inflexibilité et prenez tout le temps nécessaire pour les surmonter.* Moi, par exemple, j'aime mieux une maison propre et bien rangée. Quand je dis: propre et bien rangée, je ne veux pas dire nettoyée de temps en temps. Je veux dire propre comme un sou neuf. J'ai passé bien du temps à faire la chasse aux cendriers à moitié remplis, à lisser les oreillers et à épousseter là où il n'y avait pas de poussière. On s'est bien souvent moqué de moi parce que je passais l'aspirateur à minuit, et j'ai eu droit aussi à des remarques un peu moins agréables.

J'ai toujours pensé que ce dont ma maison avait l'air se reflétait sur ma personne. Nous aimons tous les beaux reflets, mais moi je poussais cela à l'extrême. Il fallait que tout soit exactement comme il faut, et comme j'étais seule, ça restait ainsi. Qu'un invité arrive et laisse une goutte d'eau sur le marbre du lavabo, dans la salle de bains réservée aux hôtes, et j'avais les nerfs en boule jusqu'à ce que je puisse "réparer les dégâts". Un vrai cas, hein? La solution: j'ai pris une femme de ménage.

Le centre du problème se déplaça immédiatement; quel soulagement! Une fois qu'elle eut à sa charge l'entretien de la maison, je ne me préoccupai plus des petits "dégâts" qu'elle aurait à réparer. Mes moyens ne me le permettent pas, dites-vous? Dites plutôt que mes moyens ne me permettent manifestement pas de ne pas me l'offrir. Les gages que je lui donne représentent le meilleur usage que j'ai jamais fait de mon argent. J'ai investi dans l'amélioration de moi-même; c'est ainsi que je le vois.

Cette tactique particulière a réduit ma rigidité à un degré que je ne croyais pas possible. J'aurais dû le faire plus tôt.

- *Entourez-vous le plus possible de gens.* Il est facile, quand on vit seul, d'oublier à la lettre comment vivre avec les autres. C'est ce qui rend compte en grande partie de cette rigidité qui nous occupe. Travaillez à rester tolérant en invitant de temps en temps des amis à rester chez vous. Faites-vous inviter, aussi. Évitez de prendre des habitudes d'ermite. C'est en étant avec des gens que vous pourrez rester souple et ouvert.

La solitude

Les gens qui vivent seuls ont tendance à trouver que ceux qui ne vivent pas seuls ont une vie plus agréable, ou plus riche, qu'eux. Ils les envient de ne pas avoir à se battre contre la solitude. Ils feraient peut-être bien de se rendre compte que ces gens-là n'ont pas acheté la perfection dans un flacon qui porte l'étiquette "vie à deux" et qu'il leur faut se démener avec leur vie à deux tout comme vous avec votre solitude.

Nous n'avons pas fini de parler de cette lutte contre la solitude. Vous qui vivez seul, les chapitres suivants vont vous faire sortir dans le monde, vont faire entrer des parties du monde dans votre monde, et vont vous montrer comment, en utilisant efficacement votre temps, vous transformerez votre solitude en une manière de vivre très confortable.

Se rendre
la vie agréable

5

Permettez-moi de vous recevoir

Vivant seul, vous n'avez personne pour vous tenir compagnie de façon soutenue; il devient impérieux, donc, d'apprendre à vous rendre la vie agréable, de vous divertir, vous et les autres, sans avoir à compter sur qui que ce soit. Beaucoup de gens seuls, surtout quand c'est leur première expérience, posent la même question: *comment puis-je organiser quelque chose d'amusant, d'intéressant ou d'excitant quand je n'ai personne avec qui l'organiser?*

Certaines personnes ont, semble-t-il, perpétué cette idée que la seule chose qu'on puisse faire, pour se distraire seul, c'est une partie de solitaire. Pas vrai! Si vous laissez tomber la rengaine "il faut être deux", vous serez étonné du nombre et de la qualité des activités qui n'exigent pas la présence d'un autre pour non seulement se faire, mais se révéler agréables.

J'ai découvert, avec les années, en me servant à la fois de mon expérience personnelle et des observations que j'ai pu mener auprès des gens seuls, qu'il existe une multitude de façons de se divertir. Bien sûr, tel individu est plus porté vers tel type d'activités que d'autres mais, ce que nous voulons analyser ici, ce sont les représentations et les attitudes qui les sous-tendent.

Bien qu'il y ait toutes sortes de moyens pour se distraire, il n'y a, pour la personne seule, qu'une difficulté à surmonter: se débarrasser de ces vieilles idées selon lesquelles on ne peut avoir de plaisir que si on est deux, ou plus. Il faut assumer beaucoup de responsabilités pour en arriver à se rendre, par ses propres moyens, la vie agréable.

Je me suis moi-même accrochée à ce mythe du "plaisir en groupe" pendant longtemps — exactement jusqu'au moment où certaines expériences m'ont appris à penser autrement. J'ai découvert, d'abord, que c'était amusant de faire du lèche-vitrines seule. Ensuite, je me suis mise à aimer bouquiner dans une librairie sans personne pour me pousser dans le dos. Plus tard, j'ai découvert qu'aller seule au cinéma ne me faisait pas moins apprécier le film. Mais ce qui m'a vraiment surprise, à ces moments-là, c'est de découvrir que j'avais deux fois plus de plaisir quand il n'y avait personne pour interférer.

Parce que je pouvais assumer et effectuer le choix de mes divertissements, me distraire seule m'attirait de plus en plus. Je ne veux pas dire qu'il n'y avait pas des moments où la compagnie des autres me plaisait énormément; je savais très bien aussi que, lors de certains événements, avoir un ami ou deux augmente le plaisir et l'agrément. Je veux simplement signifier par là que je savais m'organiser et me distraire toute seule, et rendre de telles expériences enrichissantes et instructives pour moi.

Une soirée pour une personne?

Qui a entendu parler d'une soirée pour une personne? Pas moi, en tout cas, jusqu'à ce que, un soir, m'apprêtant à regarder un film à la télévision, je décidai de fêter l'événement. Je pris un peu de maïs soufflé, me versai un jus de fruit frais, m'enfonçai dans mon fauteuil et me délectai comme jamais auparavant. La soirée s'annonçait impeccable.

Lorsque je me suis mise à y penser, je suis arrivée à une explication, curieuse mais simple, de ce plaisir supplémentaire. Offrir du maïs soufflé et verser des jus de fruits étaient des gestes que j'avais toujours accomplis pour d'autres, mais jamais pour moi seulement. M'accorder ce traitement "spécial" m'a donné, à ma grande surprise, le sentiment d'être renflouée.

Depuis lors, je me suis toujours fait un devoir de m'organiser, par-ci par-là, une soirée pour moi toute seule: des hot-dogs grillés pour accompagner les séries mondiales[1],une tasse de capuccino que je sirote tranquillement devant la cheminée ou encore l'achat et la préparation de tous les ingrédients nécessaires à un repas fin. J'ai découvert que, lorsque je faisais ces choses, j'en retirais un sentiment de satisfaction et de plénitude qui pouvait durer pendant des jours.

J'ai recommandé à d'autres personnes qui vivent seules ce genre de divertissement; on a accueilli ma suggestion à la fois avec dédain et curiosité. Quelques-uns m'ont déclaré sans ambages qu'ils trouvaient l'idée absurde. D'autres se sont dit intéressés mais n'ont pu voir là qu'une expérience qui mettait encore plus en relief leur solitude et tout le négatif inhérent. Pour eux, "soirée" s'appliquait strictement à une rencontre sociale impliquant un certain nombre de gens — mais jamais une seule personne.

---

1. N.d.É. Championnat de baseball aux États-Unis.

Pour ces saints-Thomas qui ne croient que ce qu'ils voient, j'ai une réponse à toute épreuve: une soirée pour un peut être simple, elle peut être absurde et elle peut être une façon de ressentir encore davantage la solitude. Ce que devient l'entreprise dépend finalement de votre attitude et de votre façon de la vivre. Pour moi, une soirée pour moi seule ne peut être que positive: elle confère un plaisir supplémentaire à une activité qui, autrement, est routinière (par exemple, regarder la télévision), elle ajoute un peu de sel à une soirée où, autrement, il ne se passe rien et en ce qui me concerne en tout cas, elle est l'occasion de me dorloter tout en passant un moment agréable.

En plus d'avoir votre propre soirée, vous avez bien d'autres façons, vous qui vivez seul, de vous ménager du bon temps.

Recevoir des invités

Pour beaucoup d'entre nous, inviter des amis est un moyen sympathique et facile de rencontrer du monde. Nous y voyons l'occasion de fêter des gens et aussi de nous *faire plaisir* à nous-même. D'une pierre deux coups. Double prime.

Mais pour certains, l'idée de recevoir implique toujours un léger désagrément. Leurs sentiments d'insuffisance et d'impuissance, disent-ils, refont souvent surface à ces moments-là. Or, il existe bien des hôtes et des hôtesses qui reçoivent merveilleusement et sans aucune aide. Comment expliquer cette différence?

Je pense à trois facteurs spécifiques qui, ensemble ou séparément, peuvent jouer. Ce sont: 1) l'aptitude d'un individu donné à recevoir, 2) le cadre dans lequel se déroule la réception, 3) les réserves que peuvent avoir certaines personnes à l'idée de recevoir sans être assistées d'un partenaire.

Il ne fait aucun doute que notre personnalité a beaucoup à voir avec le fait que vous choisissiez ou non de recevoir. Certains ont un peu plus de flair que d'autres dans ce domaine. À côté de chez moi habite une divorcée retraitée qui reçoit plus de monde que tous les gens que je connais. C'est un flot incessant de visiteurs qui vont et viennent chez elle. Je vois souvent dehors, juste devant son entrée, une énorme chaudière à ragoût qui attend d'être nettoyée après une soirée qu'elle vient de donner. Chaque fois que m'arrivent, par la ruelle, quelques bouffées du merveilleux arôme de sa sauce à spaghetti, je sais que j'entendrai dans les heures qui suivent le brouhaha joyeux des convives. C'est immanquable.

Il y a des gens qui vivent seuls et qui considèrent qu'ils ne sont pas du genre à recevoir; ils préfèrent attendre les invitations plutôt que d'en lancer. Il faut certainement respecter cette attitude; j'aurais cependant envie de les mettre en garde. Ne laissez pas échapper cette occasion, si facile, de rencontrer du monde; ne vous croyez pas tenu à une "performance" quand vos invités sont là. C'est simple: il s'agit de se sentir bien ensemble, les uns avec les autres.

Le second point — le genre de cadre à utiliser pour recevoir — peut faire problème pour certaines personnes. Par exemple, quelqu'un qui, autrefois, donnait ses soirées dans une grande maison peut trouver qu'un petit appartement se prête mal à une réception. D'autres se sentent obligés de s'excuser pour ce qu'ils jugent être un ameublement ou un décor inadéquats. Or, règle générale, peu de gens sont aussi critiques de la façon dont vit quelqu'un que le principal intéressé; les convives, eux, sont juste au plaisir d'être invités.

Par contre, ce qui peut être vraiment un problème si vous êtes novice, c'est la détermination de tous les détails. Je me souviens d'une conversation que j'ai eue dans une élégante maison de ville. L'homme, un cadre de 40 ans, hésitait à lancer des invitations alors qu'il avait hâte de faire la connaissance de ses nouveaux voisins. Il se demandait comment recevoir convenablement en étant à deux endroits à la fois — la cuisine et le salon.

Tout en discutant, je l'encourageai à se mouvoir librement entre les deux pièces. Les invités sont capables de se débrouiller tout seuls; il ne devait pas s'imaginer qu'ils attendraient de lui de faire des prouesses pendant que le soufflé serait en train de brûler.

Il y a des gens qui ont l'habitude de demander à un ami d'agir avec eux comme hôte ou hôtesse pour recevoir. Ils se sentent ainsi moins tendus. Le besoin que vous pouvez avoir d'un assistant ou d'une assistante est fonction du type de réception que vous voulez donner, et de son importance. En tout cas, c'est une question de préférence.

L'invitation à souper

On trouve, généralement, que pour inviter à souper, il faut de la nourriture choisie et des plats raffinés. C'est tout simplement faux. La personne qui a accepté de venir souper chez quelqu'un est, pour commencer, habituellement bien disposée et de bonne humeur. Et puis, il n'est pas besoin d'être un chef cuisinier pour bien recevoir, ni même de savoir faire bouillir de l'eau. Un des "repas" que j'ai le plus de plaisir à servir à mes hôtes consiste en trois mets simples: du pain de seigle, des tranches de fromage et des fruits frais. C'est ce qu'on appelle un "souper de croquant", mais lorsqu'on y ajoute un bon vin ou du champagne frappé, personne ne se sent à plaindre.

Sachez que les gens aiment à être invités. Ils viennent sans grandes attentes, heureux de passer un soir en dehors de leur cadre habituel.

Une autre façon, bien répandue, de se rencontrer sans cérémonie est le repas dit "à la fortune du pot". C'est très simple, chaque invité arrive avec un plat. Parfois, l'hôte précise le type de plat pour s'assurer que son repas sera équilibré; en d'autres occasions, il peut demander à chacun d'apporter sa spécialité, pour que tout le monde puisse y goûter.

Une variante de ce repas improvisé est une formule qui se rapproche de l'auberge espagnole. Ainsi, l'hôte ou l'hôtesse prépare une salade et des pommes de terre au four, et demande à chaque invité d'apporter son steak [1].

À l'extrême, chaque invité est prié d'apporter son "fast food" (repas-minute) préféré chez quelqu'un. On se restaure en compagnie, la nourriture important beaucoup moins que le plaisir de se retrouver.

L'avantage évident, pour les gens seuls, du repas à la bonne franquette ou du *BYO* est qu'ils sont faciles à organiser et donc ne sont pas générateurs de cette tension que l'on peut parfois éprouver à l'idée de recevoir du monde.

Il existe cependant des individus qui, bien que vivant seuls, se complaisent à préparer et à offrir un repas en bonne et due forme, avec le grand service, du canard rôti aux verres à vin en cristal et au linge de table en lin. La préparation peut en être longue, une journée entière et parfois plus, mais cela fait partie du plaisir qu'ils ont à recevoir.

Quel que soit le type de souper, le but poursuivi est de créer une occasion de rencontres. Il existe d'autres formules en vogue chez les célibataires pour recevoir sans trop d'embarras ni de tracas. Jetons-y un coup d'oeil.

L'après-souper

Une des façons les plus faciles de recevoir, spécialement pour ceux qui sont gênés de recevoir aux repas, est d'inviter après le souper. Tout ce qu'on demande à l'hôte ou à l'hôtesse, c'est l'hospitalité. Très souvent

---

1. N.d.T. C'est ce que les Américains appellent BYO pour *Bring Your Own* (apportez le vôtre).

sont servis du café et un dessert, peut-être un digestif ou un verre de vin.

J'ai un camarade qui aime beaucoup recevoir comme cela, le soir. En rentrant du travail, il arrête à une boulangerie et achète des pâtisseries françaises ou danoises. Ensuite, il prépare du café espresso. Ses invitations sont attendues avec plaisir par ses amis.

Le vin-et-fromage

Une autre façon de recevoir sans trop de mal consiste à convier les gens à un vin-et-fromage. Tout ce que l'hôte a à faire, c'est d'inviter ses amis à apporter des bouteilles de vin et leurs fromages préférés. On ouvre toutes les bouteilles et tous les fromages pour que tous puissent y goûter. L'hôte peut fournir les croustilles s'il le veut, afin de permettre aux gens de se nettoyer le palais à mesure qu'ils goûtent aux vins et aux fromages.

Pour quelqu'un de seul, l'avantage de cette formule est qu'il n'y a pas vraiment besoin d'intervenir.

L'occasion spéciale

Il y a des gens qui préfèrent recevoir ou se retrouver ensemble à l'occasion d'un événement particulier. Dans bien des cas, l'occasion spéciale n'est pas le classique anniversaire, mais un événement populaire retransmis par les médias, comme le *Super Bowl* [1], la remise des *Academy Awards* [2] ou un championnat de lutte. L'avantage, évidemment, est que la télévision agit comme hôte-assistant et permet à l'hôte ou à l'hôtesse de se donner entièrement aux devoirs de l'hospitalité.

---

1. N.d.É. Partie de championnat du football américain.
2. N.d.É. Remise des Oscars pour les productions cinématographiques, aux États-Unis.

Les jeux

J'ai une amie célibataire qui invite fréquemment à des "soirées de jeu" chez elle. À l'arrivée, chaque invité a le choix entre toutes sortes de jeux — tout, depuis les cartes jusqu'aux charades. Très souvent, un nouveau jeu vient de sortir sur le marché et tout le monde se jette dessus pour la soirée.

Là encore, l'avantage de ce type de rencontre, c'est que l'invitation constitue par elle-même le divertissement de toute la soirée.

Allez-y, c'est bon pour vous

Avant de passer aux autres moyens par lesquels vous pouvez vous rendre la vie agréable, un dernier mot sur vos invitations: ne faites rien de compliqué ni d'exigeant. Pour votre bien-être mental, il vous faut maintenir des contacts sociaux avec les autres; il n'y a rien de tel, en l'occurrence, que d'être en bonne compagnie et d'avoir une bonne conversation. La plupart des gens apprécient les invitations et sont trop heureux de les accepter; la maison d'un ami, n'est-ce pas un endroit bien agréable à fréquenter?

6

Hobby et passe-temps

Quand une personne prend sa retraite, son médecin lui recommande souvent de se trouver un passe-temps ou une occupation intéressante afin d'avoir une vie équilibrée et enrichissante. On sait que les hobbies et les passe-temps augmentent la longévité de par la stimulation et l'implication qu'ils provoquent.

Avoir un passe-temps est tout aussi important quand on vit seul, pour la bonne raison qu'on a souvent beaucoup de temps libre à remplir. Une occupation ou un passe-temps valables, ce sont des heures sans fin de plaisir, d'agrément et de satisfaction.

Comme il serait trop long de faire la liste des nombreux passe-temps existants, et qu'adopter l'un plutôt que l'autre relève d'un choix personnel, individuel, je ne me risquerai pas à en recommander. Mais je désire, à l'aide d'exemples, esquisser quelques portraits qui stimuleront l'esprit du lecteur et illustreront l'importance, dans la vie des gens seuls, de ce type d'occupation.

Le premier exemple qui me vient à l'esprit concerne un homme de quarante-deux ans, analyste en électronique, qui, vivant seul pour la première fois, se mit à décorer et à remplir son appartement vide avec toutes sortes de plantes. Il était allé chercher dans des livres des conseils sur les soins à donner aux plantes, avait construit des terrariums et donnait à tous les gens de l'immeuble des suggestions sur l'entretien et l'arrosage des plantes.

Il me fit part de sa surprise et de son plaisir devant les joies que lui procurait ce tout nouveau hobby. "Ce qui me renverse, c'est l'ironie de l'affaire. Quand je vivais avec ma femme, nous avions des plantes, mais comme c'était elle qui s'en occupait, je n'y avais jamais prêté tellement attention. Lorsque j'ai emménagé ici, j'ai trouvé que c'était vide, froid. J'ai rapporté une ou deux plantes du supermarché et l'appartement m'est apparu beaucoup plus chaleureux.

"J'ai appris à m'en occuper, peu à peu; je suis devenu le grand spécialiste des variétés. J'adore visiter les pépinières; je me renseigne sur toutes les sortes de plantes, celle d'intérieur et celles d'extérieur. Rien qu'en ce moment, j'ai plus de vingt espèces différentes; cela demande beaucoup de temps, pour les entretenir, mais j'en savoure chaque minute. Je trouve que c'est une façon très créatrice de passer le temps."

Cet homme est tombé sur un passe-temps qui, par la suite, est devenu un hobby. Le plus souvent, celui-ci n'est pas prémédité. On expérimente quelque chose, et cela se transforme en hobby. Je me souviens de ce printemps où j'ai décidé de faire pousser des tomates dans des bacs, devant ma porte d'entrée. Je suivais l'exemple d'un ami dont j'avais dégusté, l'été précédent, les délicieux produits. Jusqu'alors, je ne savais pas qu'il était possible de faire pousser des tomates autrement qu'en pleine terre.

Je ne saurais vous dire combien d'heures de plaisir et combien de délicieux repas m'ont procuré ces tomates. Depuis le moment où j'ai apporté les plants chez moi, où je les ai transférés dans des contenants de tôle de cinq litres, mis en terre, arrosés, où j'ai vu les fleurs puis les tomates apparaître, je me suis investie à fond dans cette occupation qui m'a infiniment récompensée.

Qu'il soit d'intérieur ou d'extérieur, le jardinage procure à bien des gens des heures et des heures de satisfaction. Même ceux qui ne s'y étaient jamais intéressés auparavant trouvent cela captivant et amusant. Une de mes amies a fait pousser tout un jardin d'herbes aromatiques sur le rebord de ses fenêtres de cuisine. Quand elle prépare une soupe aux fines herbes ou d'autres mets succulents, il lui suffit de couper ce dont elle a besoin.

Mon grand-père, qui est veuf et a maintenant dépassé les quatre-vingts ans, passait des heures à veiller sur ses rosiers, primés, dans son arrière-cour. Il savait faire pousser des roses admirables comme aucun autre; ce passe-temps l'aidait à meubler le vide laissé par la mort de ma grand-mère.

De fait, les hobby et les passe-temps jouent un rôle important en comblant les vides de l'existence chez ceux qui sont novices dans l'art de vivre seuls. Je me rappelle avoir connu deux veuves qui avaient perdu leurs maris à quelques mois d'intervalle et qui, c'était compréhensible, avaient du mal à occuper les heures interminables autrefois consacrées à leur conjoint.

Lors de l'une de nos discussions portant sur "Comment apprendre à vivre seul", j'ai soulevé l'hypothèse que faire une couverture au crochet, sur canevas, était une activité simple, qui ne requérait aucune compétence particulière, et qui pouvait aider à meubler le temps de façon créatrice jusqu'à ce que soit franchie la difficile étape de la réorientation. À la fin, suggérai-je, vous auriez quelque chose à montrer, en échange du temps passé, et, dans l'intervalle, vous vous seriez tenu l'esprit occupé et les mains actives.

Je me rappelle la réticence avec laquelle elles parcoururent le catalogue — il n'y avait pas grand-chose qui les intéressait — mais chacune commanda un canevas de couverture, l'une pour compléter la décoration de sa maison, l'autre pour l'offrir en cadeau. Lorsque les canevas arrivèrent, les deux dames se mirent sur-le-champ au travail et furent, dans leurs projets respectifs, rapidement gagnées par la contagion. En peu de temps, elles crochetaient de concert les soirs et les fins de semaine. Elles se nommèrent d'elles-mêmes "les joyeuses crochetières" et, de fait, elles semblaient vraiment plus heureuses.

Il n'y a pas longtemps, je visitai la maison d'un ingénieur électricien; je fus suprise de voir, devant le foyer de la cheminée, ce que je reconnus immédiatement être une carpette façon artisanale. Je posai des questions et mon hôte me raconta cette histoire:

"Après mon divorce, j'ai couru avec frénésie toutes les boîtes de nuit de l'endroit. Je ne pouvais absolument pas rester tranquille chez moi. Après quelque temps cependant, fatigué de faire l'oiseau de nuit je reçois d'un ami le conseil de faire, comme lui, un tapis au crochet. Tout ce que je peux vous dire, c'est qu'à partir de là, j'ai passé tous les soirs chez moi à travailler à mon tapis. C'était si extraordinaire de regarder cette chose prendre forme que je ne pouvais pas la quitter. Laissez-moi vous dire, c'était détendant, récompensant, ça me changeait de ma poursuite à travers la ville. Cela m'a vraiment aidé à me remettre dans mon assiette. Maintenant, j'ai une raison pour rester à la maison. Cela peut paraître idiot, mais je suis "accroché" — dès que j'en ai fini un, j'en recommence un autre."

Il m'emmena alors à son cabinet de travail et me montra le dessin compliqué du chef-d'oeuvre d'un mètre cinquante sur trois qu'il était en train d'accomplir.

Naturellement, tout le monde n'aime pas monter un tapis au crochet. On peut trouver cela monotone ou ennuyeux. Je fais partie de ces gens qui sont incapables de rester assis sans rien faire; c'est pourquoi j'aime beaucoup faire du crochet lorsque je suis trop crevée pour faire autre chose, mais que je veux avoir une activité créatrice.

Une autre activité à laquelle beaucoup de solitaires aiment s'adonner, c'est les casse-tête. Un célibataire de trente ans m'a expliqué comment il s'est passionné pour les casse-tête lesquels, de passe-temps qu'ils étaient, sont devenus pour lui une vrai passion.

"Au début, je m'y suis mis pour avoir quelque chose à faire. Quand j'étais gosse, j'aimais les casse-tête, alors j'ai décidé de voir ce que ça donnerait une fois devenu adulte. J'aime faire les casse-tête qui ont "des mmmillions" de morceaux. Récemment, j'ai fait deux paysages de campagne; ils étaient trop beaux pour être défaits. Alors, je les ai retournés, j'ai mis de la colle derrière et, sur le devant, j'ai vaporisé un peu de vernis. Je les ai encadrés et je les ai suspendus comme des tableaux. Le prochain, j'ai l'intention de le monter sur un chevalet, dans mon cabinet."

Son histoire me rappela la fois où, les premiers temps que je vivais seule, je menais un combat particulièrement difficile avec une dépression due à ma solitude. Rien, mais vraiment rien ne me faisait envie. La crise se prolongea pendant des jours; je restais assise, les yeux fixes, à me lamenter. Tout à fait par hasard, je me mis à assembler les pièces d'un casse-tête, et en quelques heures je m'aperçus que je m'étais dégagée de mon état dépressif. Mes pensées étaient devenues positives, comme neuves.

Cette expérience m'a instruite quant aux mérites d'une activité créatrice et monopolisante dans le cas d'une personne qui ne bénéficie pas de la présence d'un autre susceptible de l'aider à surmonter sa dépression ou sa solitude. Faites *quelque chose*, ne restez pas assis à ne rien faire.

Autre passe-temps, la lecture apporte son évasion, ses lumières, ses plaisirs et ses aventures à nombre de gens. C'est une activité utile, qui tient l'esprit occupé, mais ce qu'il y a de plus agréable dans la lecture, c'est qu'elle peut se faire sur une base strictement individuelle. Et le marché de l'écrit est si vaste qu'il y a toujours quelque chose pour presque tout un chacun — qu'il s'agisse d'un lecteur peu intéressé, d'un lecteur moyen ou d'un lecteur insatiable. Il suffit de chercher juste un peu, jusqu'à ce qu'on trouve quelque chose qui plaise.

Un livre, un magazine, un article de journal ouvrent au lecteur des horizons nouveaux. Il y a quelques jours, je feuilletais distraitement mon magazine mensuel de l'*Automobile Club* quand je tombe sur un article qui parle d'un "voyage complet pour une personne", hors saison, à une station de ski située dans l'Ouest. Intitulé "Passez l'été dans la Vallée du Soleil", il invitait à venir admirer les beautés de l'endroit et de la campagne avoisinante à une période de l'année autre que celle de la pleine saison. Le texte et les photos qui l'accompagnaient m'ont tellement séduite que je me prépare à y aller. Lorsque je pense que sinon, l'idée ne m'en serait jamais venue, je me réjouis d'avoir eu en mains ce magazine.

Je crois beaucoup en la valeur de la lecture; c'est une occupation qui joint l'utile à l'agréable, et je recommande à tous ceux qui vivent seuls de s'abonner à un quotidien. Ne serait-ce que parce que recevoir régulièrement le journal donne, à celui qui vit seul, quelque chose à attendre et que, une fois livré, un journal procure toutes sortes de distractions — depuis les éditoriaux jusqu'aux pages sportives et aux mots croisés.

Les premiers temps que je vivais seule, j'habitais une ville où je ne connaissais personne, mais je pouvais au moins compter que, chaque soir, mon fidèle ami le journal serait là. Pour moi, c'était une forme de contact avec le monde extérieur, et en faire la lecture après le souper était un agréable rituel nocturne qu'aujourd'hui encore j'apprécie.

Je crois aussi qu'il est bon, pour une personne seule, de s'abonner à des magazines. J'ai un camarade qui, après le départ de sa femme, semblait ne plus pouvoir se tenir debout. Pendant un temps, toute sa vie était comme suspendue. Quand il recommença ses activités, il adopta une attitude de méfiance à propos de tout et de rien.

Voulant l'aider à se créer des habitudes de vie plus productives et plus satisfaisantes, tout en lui apportant du nouveau, je lui conseillai de s'abonner à un journal quotidien et à deux magazines hebdomadaires. Il accueillit plutôt mal ma suggestion. Il trouvait que ces choses-là n'avaient plus de sens pour lui. À son idée, le journal du matin était fait pour que mari et femme se le partagent en prenant leur petit déjeuner, mais une personne seule ne pouvait en faire aucun usage.

Il me fallut employer toute ma force de conviction. Son refus obstiné n'avait d'égal que ma détermination à tenir mon bout; je lui offris en cadeau un abonnement à un magazine hebdomadaire national d'actualité. Et quand il m'avoua quel plaisir c'était pour lui à chaque numéro, je n'en demandai pas plus pour me sentir remerciée. Par la suite, à mesure, me dit-il, que la lecture de chaque livraison devenait pour lui une habitude, il apprécia davantage le temps qu'il passait chez lui les jours où il devait recevoir son magazine. Il ne tarda pas à s'arrêter chez le marchand de journaux devant qui il passait en rentrant du travail pour acheter le journal.

Entre les journaux et les magazines, sa vie commença à prendre une allure plus positive et plus pleine de sens. Ce fut un tournant important pour lui en ce sens qu'il devenait moins dépendant des autres, pour se divertir, qu'il l'avait été pendant les mois qui avaient suivi sa séparation.

Grâce à la lecture, on peut, si on est seul, communiquer avec soi-même et avec le monde, et inverser ce qu'il y a de négatif en nous. Les livres sont, pour ainsi dire, des compagnons. Plus on a de quoi lire, dans la vie, moins on risque de souffrir de cette maladie si répandue et qui vient de ce que l'on vit seul: du temps à soi à ne savoir qu'en faire.

Simpliste, direz-vous? Peut-être. Mais s'il y a quoi que ce soit qu'on peut faire pour meubler de façon positive son temps, je suis pour.

Nous n'en finirions pas s'il nous fallait passer en revue toutes les sortes de manies et de passe-temps qui existent; il n'est pas de mon propos non plus d'en dresser la liste ni de les discuter un par un. C'est, peut-être, avec cette anecdote que nous pourrons le mieux terminer.

Caroline J., célibataire, dans la trentaine, confesse qu'elle a passé de nombreuses années à faire "beaucoup de riens" en attendant le jour où elle se marierait. Mais le temps fuyait, le jour n'arrivait pas et elle s'enlisait de plus en plus profondément dans l'ornière. Les journées n'étaient faites que d'activités de survivance: manger, travailler, dormir.

Selon ses propres termes: "Je menais une existence véritablement inactive, malsaine. Je me consumais vive, de par mes propres pensées. Il fallait absolument que je trouve un moyen de sortir de moi-même. Au moment où je frisais l'autodestruction totale, un ami m'intéressa à la peinture à l'huile. Au début, c'était un passe-temps intéressant; peu à peu, c'est devenu un hobby en pleine expansion et pour finir, un genre de vocation. Je suis maintenant membre d'une guilde d'artistes amateurs; nous exposons nos oeuvres dans les centres d'achat, les fins de semaine. Je ne veux plus rien savoir de ma vie avant de me lancer dans l'art. Je ne peux pas croire que je me suis laissée aller à vivre ainsi."

La plupart des gens seuls disposent de beaucoup de temps libre; ce temps, bien souvent, était autrefois consacré aux autres. Il est donc sage, pour le remplir, de mettre en train des occupations enrichissantes sur le plan personnel. Lorsqu'ils ont trop peu d'activités supplémentaires pour meubler leur temps d'une façon qui soit constructive, les gens seuls ont souvent tendance à se replier sur eux-mêmes. C'est un piège, et un piège qui peut devenir un cercle vicieux, à force de ressasser, de s'apitoyer sur soi, de se désintégrer et de très peu, pour ne pas dire pas du tout, produire à titre personnel.

Trop vivre avec soi-même n'est pas bon. Pour être en bonne santé mentale et avoir un bon équilibre, il faut savoir se ménager, à soi et à ses pensées, des moyens d'exprimer sa créativité. Un passe-temps ou un hobby bien choisis en sont des exemples, à la fois très simples et très accessibles.

7

Passer la porte

*L'homme qui va seul peut partir aujourd'hui;
mais celui qui voyage avec un autre doit attendre que cet autre soit prêt.*

Henry David Thoreau

Pour les gens qui vivent seuls, et plus encore pour
ceux qui n'ont jamais été mariés, sortir tout seul est ce
qu'il y a de plus aisé, de plus naturel au monde; pour les
autres au contraire, spécialement ceux qui commencent
leur vie de célibataires, c'est une des perspectives les plus
difficiles et les plus décourageantes à laquelle ils aient à
faire face.

En passant la porte, le solitaire s'aventure dans un
monde fait majoritairement pour des couples. Cela peut
devenir gênant, embarrassant; on se sent particulièrement gauche. D'un autre côté, si on se risque à sortir, on
a l'avantage de pouvoir approcher et connaître les situations et les gens avec une totale ouverture et sans restric-
tion aucune. Les occasions de plaisir et d'aventure sont
infinies.

Pendant des années, je suis sortie seule et ma conclusion est que c'est simplement une question d'attitude. C'est vrai, il faut toute une série d'expériences de ce genre pour asseoir sa confiance en soi et se forger une attitude dynamique, mais même au début, on peut réussir ses aventures "en solo" — et ce, avec un minimum de désagréments et de tiraillements personnels. Il est indispensable de vous présenter dans une situation donnée comme un être humain complet, entier, capable de se divertir quelles que soient les circonstances.

Parfois, surtout au début, on affiche une confiance qu'on n'a pas et derrière laquelle on se cache. C'est en faisant montre d'une attitude franche et ouverte, en ne s'excusant pas, par des mots ou par des gestes, d'être seul, que l'on pourra être sûr d'être accepté par les autres. Un regard ou un geste d'excuse, et le solitaire qui s'est aventuré à sortir se voit automatiquement renvoyé à son prétendu compagnon.

Le solitaire ne saurait avoir de comportement plus destructeur que celui qui consiste à vivre reclus par peur de sortir seul. Non qu'une telle peur ne puisse être fondée, mais elle doit être surmontée, comme toute autre peur. Passer la porte seul, c'est comme sauter dans une piscine quand vous savez que l'eau est froide. Se mouiller le petit orteil ne fait que prolonger le supplice. Il est plus sage de plonger carrément. Et plus vite vous le faites, mieux c'est!

Sortir seul

À part les rares rencontres mondaines pour lesquelles il faut être escorté, je ne vois guère d'endroit ni d'événement où on ne puisse aller seul. Mais avant cela, voyons les avantages qu'il peut y avoir à sortir seul.

Le plus manifeste, bien sûr, est de pouvoir aller et venir comme on l'entend. Ne vous est-il jamais arrivé lors d'une soirée ou quand le film est mauvais ou encore lorsque vous vous ennuyez quelque part d'être impatient de partir et de devoir attendre que la personne qui vous accompagne soit prête? Mais pas si vous êtes seul; vous êtes complètement libre de vos allées et venues. Je trouve que c'est un aspect de la liberté qui est bien réconfortant.

Autre avantage quand on sort seul: on peut improviser. Lorsque vous êtes seul, vous n'avez pas du tout besoin de tout organiser à l'avance ou d'aller quérir une permission. Votre potentiel d'aventures est accru par le fait que vous êtes libre de partir à l'instant même. En fait, vous pouvez devenir un authentique "libre esprit".

Combien de fois vous a-t-il fallu ne pas tenir compte de ce qui vous intéressait ou faire ce que vous n'aviez nulle envie de faire pour rester en harmonie avec un autre? Lorsque vous êtes seul, vous avez toute latitude pour partir à la recherche de ce qui vous dit. Vous n'êtes plus contraint à vous arracher des heures qui vous sont précieuses juste pour satisfaire aux caprices de quelqu'un.

Souper seul en ville

Il semble que, de toutes les activités extérieures, souper seul en ville soit ce que les solitaires trouvent de plus désolant. J'ai parlé, précédemment, de mon expérience personnelle en ce domaine mais il serait peut-être bon, ici, de faire les remarques suivantes.

En premier lieu, je détesterais voir quelqu'un renoncer à une expérience aussi riche de plaisir juste parce qu'il ou elle n'a personne avec qui souper. Même si, bien sûr, vous vous sentez au début un tant soit peu gêné ou trop en évidence, dites-vous que ces sentiments s'atténueront à mesure que vous répéterez l'expérience. Quoi que vous fassiez, ne la rayez pas de votre agenda avant de vous y être essayé plusieurs fois.

Je pense que le restaurant et l'heure à laquelle vous choisissez de souper sont importants à considérer. Certains restaurants — en général ceux qui sont plus petits, plus pittoresques — incitent davantage à un repas solitaire que d'autres. Apprenez à connaître ceux de votre quartier. Vous pouvez désirer souper tôt, avant qu'il y ait trop de monde; cela vous permettra d'être détendu pendant votre repas, surtout si vous vous sentez mal à l'aise d'occuper une table faite pour deux ou plusieurs personnes.

Il y a des gens qui ont l'habitude d'emporter avec eux de quoi lire lorsqu'ils vont au restaurant. Certains se procurent ainsi une "présence" qui les aide à se détendre tout en mangeant; d'autres admettent franchement qu'ils aiment avoir quelque chose "derrière quoi se cacher". Quelle qu'en soit la raison, si c'est ce que vous préférez faire, faites-le donc!

Rencontrer du monde

Je n'ai aucun scrupule à aller au théâtre, au cinéma, à un événement sportif ou à n'importe quelle autre activité que ce soit, seule. Ce pourrait être plus agréable avec un compagnon, ou peut-être pas, mais je ne me laisse jamais arrêter par le fait que je suis seule. S'il y a quelque chose que j'ai envie de voir ou de faire, j'y vais.

L'un des plus grands avantages de sortir seul est de vous permettre de rencontrer des gens en toute liberté. Si je me réfère à ma propre expérience, ceux que j'ai rencontrés m'ont très bien accueillie en tant que personne seule. S'il se trouve qu'ils sont eux-mêmes seuls, ils sont avides d'échanges. Quant aux couples que j'ai connus, loin de se sentir effrayés ou mal à l'aise du fait que j'étais seule, la plupart d'entre eux ont adopté une attitude quasi protectrice et ont pris la peine de s'assurer que je ne m'ennuyais pas.

Les êtres humains aiment rarement se sentir isolés. C'est pourquoi je vous adjure, si vous vivez seul, de sortir pour parler aux autres; pas juste aux gens que vous connaissez, mais aux étrangers — surtout aux étrangers. Si vous avez peur des gens, si vous craignez qu'ils vous rejettent, il n'y a pas de remède plus rapide que d'aller délibérément prendre contact avec eux. Plus vous le ferez, plus vous aimerez cela (c'est quelqu'un qui, dans la vie, a dû péniblement lutter contre sa timidité et qui, ce faisant, a rencontré beaucoup de sympathie, qui vous le dit).

Très bien mais, demanderez-vous, par quoi je commence?

- Commencez par apprendre à faire les premiers pas. Si vous laissez toujours aux autres le soin de prendre l'initiative, vous passerez à côté de beaucoup de choses.

- Apprenez l'art d'être "rencontrable". Soyez ouvert. Arborez un sourire affable, vous n'en aurez que plus de facilité à vous introduire auprès des autres et à engager la conversation. Faites preuve d'un réel intérêt pour vos interlocuteurs, laissez-leur savoir que vous êtes conscient de leur spécificité d'êtres humains; en d'autres mots, soyez intéressé — pas intéressant. Trop d'individus croient que pour être "attirants" il leur faut être dynamiques, fascinants — bref, trop intéressants pour qu'on puisse leur résister. En fait, les gens trouvent sympathiques ceux qui *leur témoignent* un intérêt véritable.

- N'hésitez pas à entamer la conversation chaque fois que vous en avez envie. Il est vrai qu'en règle générale les gens, aujourd'hui, ont rarement l'air accueillant. Cependant, derrière ce masque impassible, il y a quelqu'un d'amical qui attend d'être démasqué par quelqu'un d'aussi amical. Pourquoi ne serait-ce pas vous?

Je veux bien mais, demanderez-vous, qu'est-ce que je dis? La réponse est simple: ce qui vous vient spontanément. Les gens sont prompts à discerner ce qu'il y a de conventionnel dans les questions posées et les phrases énoncées; ils risquent de vous répondre en vous tournant froidement le dos. Quoi que vous disiez, que vos paroles soient le plus naturelles possible, en accord avec vous ou avec la situation, car les gens ont tout aussi vite fait de saisir ce qui sonne vrai et, presque toujours, ils réagiront en se montrant aimables et généreux.

Vous pouvez parfois avoir de bons résultats avec une phrase d'introduction toute faite, pourvu que vous l'utilisiez correctement. Par exemple, vous êtes sur le pont d'un transatlantique, vous vous approchez d'un passager et vous lui demandez: "Excusez-moi, mais est-ce que vous habitez par ici?" Cela peut sembler archibanal, mais on ne pourra pas dire que vous n'avez pas essayé. À tout le moins, vous aurez fait votre part pour tenter de briser la glace.

De grandes aventures et des moins grandes

Lorsqu'une personne seule franchit la porte, des aventures sans fin sont là qui l'attendent. Qu'est-ce qui fait qu'on se lance ainsi dans toutes sortes d'aventures, grandes ou petites? C'est qu'il peut être plaisant, reposant et détendant de changer de décor. De plus, comme le solitaire n'a personne avec qui échanger de façon suivie, son intérêt est de sortir et de se mêler aux autres.

Une des choses les plus faciles à faire, quand on est seul, c'est d'aller se promener ou de partir en auto. C'est une entreprise solitaire, bien sûr, mais une promenade à pied ou en auto peut être rafraîchissante pour l'esprit car elle peut dissiper les idées noires et susciter des perspectives positives.

Pendant les années où je vivais seule, je me suis souvent sentie comme une rivière qu'obstruent des embâcles — dans une ornière. Comme je n'avais personne autour de moi avec qui échanger des idées, cette ornière se creusait pas mal. Aussi, quitte à aller contre ce que j'avais envie de faire à l'instant, n'ai-je jamais manqué de sortir pour une promenade, un tour en auto ou n'importe quelle autre activité afin de ne plus me sentir, ou en tout cas beaucoup moins, mentalement piégée.

Un été, j'acceptai de prendre soin de la luxueuse automobile d'une amie qui devait partir. L'auto avait un magnétophone à cassettes et un merveilleux système de son. Je fus rapidement comme une toxicomane, avec mes promenades en auto et mes cassettes préférées pour me tenir compagnie. Je me souviens encore du sentiment que j'avais d'être revitalisée après chaque sortie. Quand vint la fin de l'été, ce n'est pas de gaieté de coeur que je restituai une telle source de plaisir à sa légitime propriétaire.

Une autre de mes petites aventures préférées consiste à partir à la recherche de petites boutiques spécialisées dans ce qu'il y a de meilleur — les meilleurs plats cuisinés, les meilleurs produits, les plus alléchantes nourritures importées. C'est devenu une forme de divertissement qui me plaît beaucoup. Les boutiques spécialisées offrent une ambiance relaxante et nous permettent de diversifier nos goûts.

Certaines personnes peuvent trouver les produits spécialisés trop chers pour eux; de fait, ils le sont parfois. Mais j'ai mis au point un raisonnement qui me fait les trouver abordables, à savoir qu'ils font partie de mes loisirs et qu'ils me reviennent bien moins cher que ce que je dépense habituellement pour mes sorties. Leur coût m'apparaît ainsi dans une perspective bien différente. Je peux rapporter à la maison un beau steak de filet mignon au tiers du prix d'un repas en ville, une bouteille de très bon vin pour le prix de deux ou trois consommations dans un bar. Les exemples sont infinis, sans compter que le charme d'une simple petite aventure peut se prolonger au-delà d'un seul soir — comme dans le cas, disons, d'une pointe de bon fromage ou d'un mélange de café particulièrement savoureux. C'est aussi, pour quelqu'un de seul, une excellente façon de se "payer la traite"!

Une autre de mes occupations préférées comme personne seule, c'est d'acheter un abonnement pour la saison théâtrale ou sportive. Il fut un temps où je n'aurais jamais envisagé cela. Je considérais qu'assister à ce genre de spectacle était typiquement une affaire de "couple".

Suite à l'insistance plutôt énergique d'un ami qui comprenait la valeur de ce genre d'entreprise, je pris un abonnement d'été pour la saison de balle molle. Il m'est impossible de faire le décompte de tout ce qu'entraîna de positif une telle décision; le résultat le plus remarquable, c'est que j'eus ainsi l'occasion de rencontrer des gens avec qui je partageais le même intérêt. Le sentiment de camaraderie, je dirais presque de fraternité, que nous éprouvions à partager durant quelque temps une passion commune fut d'un grand apport pour moi. À tout prendre, ce fut une des expériences les plus agréables de ma vie.

Mais la plus grande aventure, quand on est seul, c'est de voyager. Malheureusement, beaucoup de gens hésitent à voyager seuls. D'un côté, cette répugnance est compréhensible mais d'un autre, on devrait avoir honte de laisser passer l'occasion de visiter en toute sécurité des endroits inconnus.

Tant qu'ils ne l'ont pas fait, bien des gens se disent effrayés à l'idée de voyager seuls. Dans la plupart des cas, c'est au nom d'un sentiment d'embarras ou d'insécurité ou parce qu'ils n'ont pas la garantie de pouvoir se faire des amis. Or, c'est comme pour beaucoup d'expériences que vous pouvez faire seul, une fois que vous aurez voyagé par vous-même, vous vous demanderez pourquoi vous ne l'avez pas fait plus tôt.

Il faut sans aucun doute une bonne dose de courage pour envisager de voyager seul. Heureusement cependant, vous n'avez pas besoin d'organiser seul votre voyage. Vous avez un allié en la personne de l'agent de voyage. Grâce à lui, vous vous sentirez tranquille en ce qui concerne tous les détails comme les billets, le transport et le logement. Une bonne agence vous fournira toute la littérature voulue sur les endroits que vous vous apprêtez à aller voir. En vous familiarisant avec des choses comme les coutumes, le climat, les vêtements à emporter, vous vous sentirez encore plus en sécurité.

Pour tous, excepté ceux qui sont très indépendants, les voyages les plus appréciés sont les croisières et les tours organisés, leur avantage le plus flagrant étant, bien sûr, qu'ils sont choisis par beaucoup d'autres gens qui, eux aussi, voyagent seuls. Dans les deux cas, le prix demandé est forfaitaire, toutes les dépenses sont incluses et, pour le voyageur qui veut se sentir quelque peu en sécurité, la formule a de quoi plaire.

Une de mes amies, plus âgée que moi, qui depuis des années hésitait énormément à voyager seule, s'est jetée à l'eau l'été dernier, et elle a fait un voyage solo qui lui a beaucoup plu. Elle tenait, d'une de ses connaissances, qu'il était possible, en juillet et en août, de séjourner comme invité dans certains campus de collèges, à un prix modéré. Elle ne se l'était pas fait dire deux fois et s'était inscrite à une résidence d'étudiants, dans un campus de Nouvelle-Angleterre, pour une durée d'une semaine.

L'expérience l'enchanta. Tout était bien organisé, le milieu était fort sympathique et l'appréhension qu'elle éprouvait à voyager seule s'évanouit. Une fois rendue dans la salle communautaire, on lui assigna une chambre, et le reste de la semaine se passa à profiter des loisirs et des activités culturelles offerts par le collège. Elle prit tous ses repas à la cafétéria, s'épargnant ainsi la peine de partir, seule et dans une ville inconnue, à la recherche d'un restaurant. "Je n'ai jamais vu un endroit où les gens soient aussi accueillants, me dit-elle, et je veux y retourner."

Les gens seuls qui ont plus d'esprit d'indépendance aiment tellement voyager seuls qu'ils ne voudraient pas le faire autrement. Un voyageur qui est seul a une façon d'attirer les gens qui lui ouvre toutes les portes et qui multiplie les possibles aventures et les parties de plaisir.

Si vous êtes anxieux à l'idée de voyager seul, vous feriez bien d'essayer des petits voyages pour commencer. Quand vous vous sentirez le pied marin, vous serez prêt à envisager un grand voyage.

En passant la porte et en s'ouvrant à l'aventure, simple ou grande, on voit s'étaler devant soi de nouvelles perspectives, et ce, à chaque tournant, qu'il s'agisse d'aller dans un musée voir la plus récente exposition, de traverser l'Atlantique ou d'assister à une première au théâtre. Prenez des initiatives; tout cela vous appartient si vous le voulez; et le plaisir est au bout.

Agrandir le réseau de relations sociales

En plus de recevoir et d'aller rencontrer du monde, une personne seule a d'autres moyens pour agrandir son réseau de relations sociales. Le plus répandu consiste à sortir de chez elle pour se rendre dans des lieux institutionnels comme les collèges, les églises, les associations bénévoles, les clubs et divers groupes à intérêt particulier. On y rencontre de futurs compagnons, on se crée de nouvelles amitiés. Voyons quels en sont les avantages.

Continuer à s'instruire ou Éducation permanente

Il n'y a jamais eu autant de possibilités dans les collèges et universités communautaires. On trouve un enseignement qui va de l'arabe au zen; des cours sur la psychologie de l'adulte, le ski sur gazon, les autos anciennes, l'aménagement des serres, la graphologie, la cuisine fine et le marché immobilier, pour n'en citer que quel-

ques-uns. L'Université de New York offre un programme d'éducation aux adultes qui comprend plus de
800 choix possibles.

Les collèges recherchent à l'envi des étudiants plus
âgés, plus sérieux, et ces étudiants s'inscrivent par four-
nées. Les collèges communautaires de la Californie
ont reçu en 1976 le chiffre renversant de 1 265 000 adultes — soit le huitième de la population adulte de cet
État.

Les séminaires de fin de semaine connaissent actuel-
lement une grande vogue. On apprend et on se rencontre
en même temps. Récemment, un cours intitulé "Jouir
seul de la vie" a attiré, sur un campus de l'Université de
Californie, une foule énorme. Les films et les causeries
sont aussi bien courus.

Cet essor des cours destinés aux adultes offre, à
ceux qui vivent seuls, de nombreux champs d'exploration.
Un bon cours c'est, tout autant qu'un but à remplir, une
possibilité d'aventure. Les descriptions de cours qui suivent sont extraites de programmes d'éducation aux adultes de l'Université de Californie; elles illustrent la variété
des expériences offertes:

Le Yosemite en hiver... trois journées complètes au
Yosemite National Park: excursions, raquette, ski
de randonnée.
Si vous aimez le grand air, c'est le moment de le
montrer! On a tout prévu pour vous.
Et que pensez-vous de cela?
Charleston, Savannah, La Nouvelle-Orléans...
Venez voir, dans leur état originel, les belles demeu-
res coloniales et les plantations d'avant la guerre de
Sécession... des jardins célèbres dans le monde
entier... Visitez le Quartier Français de la Nouvelle-
Orléans, le Vieux Carré, les célèbres magasins
d'antiquités et les monuments historiques, le Carré
Jackson, l'Allée des Pirates et la Cathédrale Saint-

119

Louis. Venez écouter le jazz de Dixieland au Preservation Hall...

Joignez-vous à des visites organisées de musées d'art... Visitez des hôtels particuliers, les marchés de la ville, le Charleston's Cabbage Row... Goûtez chaque jour aux spécialités du Sud et de la cuisine créole.

Oh la la! Qui n'aimerait s'y rendre? N'oubliez pas qu'il n'existe que deux cours de ce genre. Je vois mal qu'on puisse broyer du noir en parcourant ces catalogues et qu'on ne puisse rien y trouver d'intéressant ou d'attirant. Dans la plupart des collèges communautaires, les cours offerts sont gratuits, tandis que dans les collèges et les universités d'État, il faut payer des frais d'inscription — certains pour la forme, d'autres plus coûteux.

De plus en plus de gens passent leurs vacances d'été sur des campus de collège ou d'université, à étudier toutes sortes de choses, de la céramique au droit constitutionnel, au sein de programmes spéciaux qui combinent les loisirs et l'étude et à des prix très bas. Les collèges d'été sont habituellement patronnés par des associations étudiantes, mais dans l'ensemble ils acceptent aussi les étudiants qui n'en font pas partie. Il n'y a pas de prérequis et les cours ne sont pas crédités.

Les prix varient; un programme d'une semaine ou de dix jours pour une personne, comprenant la chambre, la pension et les inscriptions coûte dans les deux à trois cents dollars. Les participants bénéficient des activités culturelles et des programmes de loisirs et d'éducation qui ont lieu sur le campus mais sont libres d'aller, le soir, se distraire en dehors du campus s'ils le désirent.

L'intérêt porté à cette formule de vacances va grandissant, et il y a plusieurs raisons à cela. Beaucoup de gens ont envie d'apprendre pour eux plutôt que pour avoir des crédits, et il y a un certain plaisir à retourner, ou à se trouver, sur le campus d'un collège. Pouvoir combiner les vacances avec un voyage et des études, c'est vraiment très attirant.

De toute façon, je retiens de cette formule le moyen original qu'elle représente, pour une personne seule, d'étendre ses relations sociales. Un campus de collège est le lieu idéal pour faire des rencontres. Des personnalités qui se ressemblent se retrouvent pour satisfaire à des aspirations communes et, ce faisant, jettent les bases de rapports interpersonnels qui peuvent se révéler fort enrichissants.

Il est des gens, spécialement parmi ceux qui se sont absentés quelque temps du milieu, qui peuvent éprouver une certaine hésitation à retourner en classe. Si c'est votre cas, rappelez-vous bien ce qui suit. Le retour en classe ne doit pas être fonction d'un projet de gagne-pain ou de carrière; les cours couvrent de nombreux champs d'intérêt, y compris la pratique de vivre, le développement et l'enrichissement de la personne. Ne vous laissez pas décourager par votre âge ou d'autres soucis d'une valeur douteuse. Explorez tout, autant que vous pouvez. Les occasions abondent de réaliser une véritable croissance personnelle. Si votre expérience se révèle semblable à la mienne — eh bien, je n'ai jamais autant aimé aller à l'école!

Les clubs et les groupes à intérêt particulier

Pour l'individu seul qui trouve difficile d'établir de nouveaux contacts sociaux, ainsi que pour celui qui veut, avec d'autres, faire ce qu'il a envie de faire, les clubs et les groupes à intérêt particulier présentent beaucoup d'agrément.

Il y a littéralement des centaines de groupes auxquels on peut se joindre — tout, des collectionneurs de bouteilles de bière d'Amérique au club des promeneurs solitaires, de l'association internationale des amateurs de *frisbee* au club des sans-club; il y a des groupes pour toutes les préférences. Leur liste par quartier se trouve dans les pages jaunes du bottin téléphonique, aux rubriques Clubs, Associations, etc. Beaucoup sont également regroupés chaque semaine, dans le calendrier des activités que publient les journaux. Il existe tant de possibilités que c'est à en perdre délicieusement la tête. Tous ces clubs et toutes ces associations ne sont pas seulement des endroits merveilleux pour établir de nouvelles relations sociales, ils offrent en plus la possibilité de pouvoir s'y engager davantage.

Les associations paroissiales

Certains considèrent que les groupes qui relèvent d'une église sont plus faciles à rejoindre. Ils trouvent que rencontrer du monde dans un environnement relativement protégé a bien des avantages quand on éprouve une certaine anxiété à connaître du monde par d'autres moyens. Beaucoup d'associations paroissiales offrent des activités sociales les soirs et les fins de semaine, ce qui permet à leurs membres d'avoir des contacts sociaux sans discontinuer. Une église, non confessionnelle, que je connais bien patronne, à l'intention de ses membres, une retraite en montagne et y organise des excursions en fin de semaine pendant l'année, et tous les jours, l'été. Si cela vous intéresse, cela vaut la peine que vous cherchiez ce qui existe dans votre quartier.

Les associations de bénévoles

Parmi ceux qui sont seuls, il en est qui préfèrent, pour augmenter leurs relations, se mettre au service des autres. Leur effort a double valeur en ce sens qu'ils peuvent aider les autres tout en s'aidant eux-mêmes.

Chercher les possibilités de bénévolat dans un quartier donné peut être l'occasion d'un nouveau départ dans la vie, pour quelqu'un qui, vivant seul, n'a pas la chance d'être régulièrement en contact avec des gens. D'une façon ou d'une autre, aider est une façon de donner plus de sens à sa vie. Il est très facile de faire un travail bénévole. Souvent, il suffit de donner simplement son temps.

Si cela vous tente mais que vous ne savez pas comment vous y prendre, commencez par mettre au clair ce qui vous intéresse et ce pour quoi vous avez des talents. Vous saurez mieux où vous diriger. Il y a beaucoup de possibilités dans le domaine des oeuvres charitables, du travail hospitalier, du travail dans les écoles publiques, pour n'en nommer que quelques-unes. L'extrait qui suit provient d'une annonce parue dans les journaux pour recruter des bénévoles dans plusieurs secteurs:

On cherche un spécialiste pour évaluer des poupées anciennes et des livres rares, et en fixer le prix de vente... On demande des bénévoles pour trier des bijoux et réparer des bicyclettes, pour aider à des travaux de menuiserie, pour s'occuper d'une jeune fille de 18 ans qui a été victime d'un accident d'automobile.

Des occasions comme celles-là foisonnent de tous côtés. L'individu intéressé n'a que la peine de les chercher.

L'importance de sortir de chez soi

Se ménager une vie bien équilibrée, c'est le premier objectif à se fixer quand on vit seul. Un moyen d'y arriver est de multiplier les contacts humains authentiques. Ces contacts peuvent s'établir de bien des façons. À vous de prendre l'initiative. Cherchez dans les associations d'amateurs de passe-temps, dans les groupes à intérêt particulier ou du côté de l'éducation et de ses aventures. Il y a peut-être des choses qui vous intéressent et que vous n'avez pas encore pu faire. Étant seul, vous avez la liberté

123

de faire ce que vous voulez faire. *Le temps est venu de vous mettre à chercher.*

Si vous voulez assumer de nouveaux rôles dans la société, vous devez être ouvert à tout ce qui est nouveau — gens, endroits, idées et expériences. Apprenez à faire confiance à votre capacité de recevoir du monde. Faites de votre mieux pour maintenir votre curiosité en éveil et pour continuer à désirer apprendre.

Ménagez-vous un peu d'agrément chaque jour; introduisez de la nouveauté dans votre vie; achetez-vous un quelque chose qui vous fera vraiment plaisir; faites une bonne marche le matin, au lever du soleil, arrangez-vous pour sortir, un tour en auto, un film, un repas; allez voir de nouveaux pays, et n'ayez pas peur d'y aller seul. Ne laissez rien passer sous prétexte que vous n'avez personne avec vous!

Aspects pratiques
de la vie seul

8

Faire la cuisine pour une personne

La première année que je vivais seule, je ne croyais pas qu'on puisse faire un repas décent pour une personne seulement. Je passai les six premiers mois à me nourrir de repas-minute. Lorsque je ne fus plus capable d'endurer les *tacos* [1] et les hamburgers, je me mis à vivre de soupes en boîte et de repas-TV. C'était un progrès, mais tout de même; la nourriture était si fade que j'en perdais le goût de manger. Je maigrissais, je m'enrhumais sans arrêt, bref je souffrais toutes les misères dues à un mauvais régime alimentaire.

Néanmoins, et peut-être parce que j'ai été élevée dans une grande famille, je me cramponnais à l'idée que faire la cuisine pour une seule personne était chose impossible. Pour moi, c'était tout simplement inconcevable, et je n'y pensai plus pendant un certain temps. D'autres "solitaires" que je connaissais allaient régulièrement

---

1. N.d.T. *Tacos*: Sorte de galettes mexicaines que l'on garnit selon son goût.

prendre leur repas à l'extérieur, et cela renforçait d'autant mes convictions.

Vers la fin de cette première année cependant, mon attitude se prit à changer. Un après-midi que je bricolais dans mon appartement, je me suis brusquement senti le besoin dévorant de quelque chose de *bon* à manger. En contemplant mes tablettes: vides, mon réfrigérateur: vide, j'ai explosé et décidé que j'allais dare-dare m'initier à l'art de faire de la cuisine pour une personne.

J'ai dressé une liste et suis partie pour le supermarché, déterminée à garnir de nourriture mes tablettes et mon réfrigérateur. Cette expédition a été un vrai plaisir. Tout en me familiarisant avec les rayons de spécialités du supermarché, je me disais qu'il ne fallait pas que j'achète de grosses quantités. Cela m'a permis de faire preuve d'un peu plus d'imagination dans mes choix et de donner à cette aventure un cachet un peu plus personnel.

Chez le boucher, j'ai fait des achats précis autour desquels bâtir un repas: des côtes de porc, un quart de livre de bacon et un steak. Au rayon des fruits et légumes, j'ai attrapé une tomate, une pomme, deux bananes et une pomme de terre. Pour agrémenter le menu, j'ai choisi du lait, du jus d'orange, des céréales et du fromage cottage. Et pour dernier achat, mon dessert préféré: un petit gâteau au chocolat. À la caisse, je me voyais avec délices savourer tout cela, de la première à la dernière bouchée. Fière et satisfaite, j'ai mis le cap sur la maison avec une réserve d'épicerie bonne pour une semaine.

Pour une raison que j'ignore, cette semaine m'a laissé un souvenir inoubliable. Peut-être parce que je sentais que j'avais franchi une étape importante dans mes efforts pour réussir à vivre seule. Je n'oublierai jamais l'espoir qui m'animait avant chaque expérience culinaire et ma profonde satisfaction, une fois qu'elle était terminée. C'était si bon d'être prêt à cuisiner au lieu de se demander où aller pour manger. Ce sentiment fut loin d'être éphémère, et maintenant que les années ont passé, j'en suis venue à aimer faire la cuisine pour moi-même à un point que je n'aurais jamais cru possible au début.

Peg Bracken avait raison!

J'ai donc, à l'instar de bien d'autres "solitaires", appris l'art de cuisiner pour moi et j'ai appris à y prendre plaisir. Il reste qu'il y a encore beaucoup de gens pour qui préparer un bon repas pour soi-même est vu davantage comme une corvée que comme un plaisir. Ils vous diront que c'est parce qu'ils doivent faire la cuisine et manger seuls qu'ils n'arrivent pas à aimer vivre seuls. Ce sont les mêmes qui vous soutiennent aussi qu'à prendre tous ses repas à l'extérieur, on devient très vite "dingue". L'un d'eux s'exprima ainsi: "Ce que j'aimerais, c'est qu'ils inventent la pilule pour remplacer le repas."

Là où habite un célibataire, ce sont des étagères et un réfrigérateur vides qui vous accueillent. Certains vous diront même qu'ils ne se sont jamais servis de leur cuisinière. Je connais un célibataire qui a déménagé sa cuisinière et son réfrigérateur pour transformer sa cuisine en chambre noire. Il s'était résigné à manger au restaurant à tout jamais. C'est peu de dire que l'idée d'apprendre à se faire la cuisine ne lui souriait pas; elle lui faisait totalement défaut.

Un autre célibataire se plaignait fréquemment d'être "forcé" de sortir pour prendre ses repas. Il disait que cela n'avait aucun sens de mettre sa cuisine tout à l'envers pour préparer le repas d'une seule personne. Il passait une grande partie de son temps à se trouver des compagnons de table et à repérer de nouveaux restaurants.

Tout près de chez moi habite quelqu'un qui prend son petit déjeuner et son dîner à l'extérieur et qui, chaque soir, se fait des oeufs au bacon chez lui. Il dit que c'est la seule chose qu'il sait faire et que ça lui simplifie son marché de la semaine.

J'ai peut-être l'air de reprocher aux hommes de savoir si mal se faire la cuisine. En fait, il y a beaucoup de femmes qui la font aussi mal, alors qu'en général elles sont beaucoup mieux formées en art culinaire que leurs collègues masculins. Même si elles ont, auparavant, préparé des repas élaborés pour deux personnes ou plus, elles semblent littéralement incapables d'exécuter un repas convenable pour elles seules. Toutes leurs connaissances antérieures et toutes leurs aptitudes en cuisine semblent disparues. Pire encore, c'est le désir de faire de la cuisine qui s'est éteint.

Pourquoi est-ce un tel défi que de cuisiner et de manger seul? Pourquoi l'alimentation vient-elle en tête de liste dans les problèmes rencontrés par ceux qui vivent seuls? Peut-on arriver à changer cet état de choses?

Pour être honnête, faire de la cuisine pour une personne n'est pas toujours facile. La majorité des recettes sont prévues pour quatre portions ou plus, et quand on les sert une troisième ou une quatrième fois, les restes n'ont plus tout à fait autant de charmes.

Il y a un autre facteur, qui est l'ennui. Quand vous êtes seul, les repas cessent d'être un événement comme ils le sont dans un contexte familial. Beaucoup de gens ont le sentiment qu'il y a quelque chose qui s'est perdu en passant de l'un à l'autre.

Une troisième raison est que, pour bien des gens, une cuisine *inventive* pour une personne, cela fait partie des impossibilités.

Pour couronner le tout, certains individus n'aiment tout simplement pas cuisiner. S'ils viennent à vivre seuls et sans personne pour leur préparer les repas, ils ont tendance à se tourner vers ce qui est le plus commode — la "nourriture vide" [1], les repas-TV, etc.

---

1. N.d.T. Ce que les Américains appellent *junk food*: chips, croustilles, etc.

Peg Bracken, auteur de l'abominable *Je déteste faire la cuisine*, prévoyait apparemment qu'un nombre substantiel de personnes seules tomberaient dans cette catégorie puisqu'elle a écrit un appendice à *Je déteste faire la cuisine* (Fawcett Crest Books, 1966) expressément pour eux. De fait, beaucoup de gens seuls, des femmes tout autant que des hommes, détestent les embêtements et les tracas inhérents à la préparation des repas. "Qu'est-ce que vous trouvez là d'excitant ou de récompensant?, demandent-ils. Quand j'aurai fini, il n'y aura personne pour en faire un compte rendu délirant."

D'une certaine façon je sympathise, et je comprends cette attitude, mais par ailleurs je suis aussi tentée de répondre: "*Vous* pouvez vous récompenser *vous-même*, faire des comptes rendus délirants et en même temps contribuer à votre équilibre nutritionnel."

Quoi que vous pensiez en l'occurrence, écoutez ceci. Manger, c'est la condition même de la survie. Puisqu'il vous faut manger pour vivre, pourquoi ne pas apprendre à préparer les plats que vous aimez? Même si vous souffrez du syndrome "j'ai-horreur-de-faire-la-cuisine". Essayez. Allez-y carrément. Plus vous ferez des efforts, mieux ça ira. Et mieux ça ira, plus vous trouverez que c'est faisable.

Il y a des choses simples que vous pouvez faire pour apprendre à cuisiner et manger seul avec plaisir. Dans les produits congelés qu'on trouve aujourd'hui au marché, il y a beaucoup de mets d'une portion et qui sont d'une bonne qualité nutritive. C'est l'occasion, très stimulante, d'une nouvelle découverte: apprendre à préparer, pour vous-même, des repas avantageux et nourrissants.

Des repas de spartiate
ou un délice de gourmet?

Quand on vit seul, on n'a pas besoin de repas ni de menus élaborés. Les meilleurs sont parfois les plus simples. Des fromages et des craquelins accompagnés d'une pomme fraîche, cela peut faire un bon repas. Une moitié de tomate remplie de thon ou de fromage frais, c'est facile à préparer et délicieux à manger.

Je peux, par expérience, certifier qu'il est possible de préparer, pour une seule personne et avec un minimum de tracas et d'ennuis, des mets variés bien équilibrés et de toute première qualité. Pour les gens seuls qui sont soucieux d'efficacité, des repas simples et rapides peuvent être quelque chose comme un mini-ragoût ou un filet de poisson au gril avec des légumes frais et du pain de seigle. Une omelette au fromage accompagnée de compote de pommes et d'un petit pain grillé et beurré, voilà un plat savoureux qui se prépare aussi très facilement.

Je cuisine et mange le plus souvent de façon spartiate, mais de temps à autre il me vient l'envie de faire bonne chère; je me prépare alors un plat spécial, une picatta de veau, un osso bucco, un boeuf braisé, un soufflé aux asperges. Lorsque je commençais tout juste à me faire la cuisine, je riais beaucoup à l'idée de préparer des mets élaborés juste pour moi. Plus maintenant. Chacun a besoin de rompre, par-ci par-là, la monotonie des repas. En se mitonnant un bon petit plat, on ne fait pas que flatter son palais, on se remonte le moral.

Bien des solitaires sont des fins gourmets — pour qui préparer un repas spécial, même pour eux seulement, est un des grands charmes de la vie. Depuis que la cuisine n'est plus le seul territoire des femmes, beaucoup d'hommes se la disputent. Ils font des ravages en cuisine; ils hachent, tamisent, tranchent et rôtissent comme des fous, assurés qu'ils sont d'être dans le sens du progrès.

À travers tout le pays, les célibataires assistent en foule aux cours de cuisine — voire de cuisine gastronomique — et pas seulement parce qu'ils y voient un passe-temps agréable. Pour beaucoup c'est, ou ce sera, une nécessité. D'autres cherchent à combattre ce qu'ils appellent "la bête noire de la cuisine pour soi seul" en utilisant des recettes qui, tout en gardant la fraîcheur de la simplicité, attisent l'appétit et flattent le goût.

J'ai connu beaucoup d'individus seuls qui se sont lancés à fond dans la bonne cuisine et la bonne chère. Leur spécialité, c'est cette petite touche qui, simple mais délicate, transforme un plat médiocre en un régal. En imaginant des mélanges insolites de saveurs et d'ingrédients divers, ils réalisent des chefs-d'oeuvre de délectation qui font de la cuisine et des repas pris seul bien autre chose que des instruments de remplissage.

J'ai eu la chance d'accumuler, au fil des années, quelques recettes faciles empruntées à ces magiciens ès cuisine. Leur facilité de préparation n'est qu'un de leurs attraits: ce sont des recettes qui, dans l'ensemble, n'entraînent aucune perte, ou alors qui vous laissent des restes utilisables et savoureux.

Choix de recettes données par mes amis célibataires

Mon voisin Jacques est un homme très méticuleux, très organisé qui, parce qu'il aimait les mathématiques et la logique, a fait une carrière de programmateur informaticien. Il aime passer ses soirées à s'occuper dans sa cuisine, histoire de se détendre après sa journée de travail. Son image de marque, en cuisine, est la simplicité; ses recettes, à l'instar de son travail, sont des formules de base. J'ai choisi, pour commencer, de donner sa recette de hamburger parce que, pour quelqu'un qui hésite à cuisiner seul, c'est un bon début et c'est aussi un mets savoureux qui plaît beaucoup à l'amateur de plats relevés. Ajoutez-y votre salade préférée, du pain, une boisson, et dites-vous que l'idée est formidable.

Le parfait hamburger (Jack)
150 g (1/3 lb) de boeuf haché
1 c. à café d'eau froide
1/4 c. à café de sauce Worcestershire
sel et poivre

Mélanger à la fourchette le boeuf, l'eau, la sauce Worcestershire et le poivre dans un petit saladier. Arrondir en forme de croquette mais sans comprimer. Faire chauffer une poêle petite et à fond épais, y jeter du sel. Dès qu'une goutte d'eau grésille au fond, ajouter le hamburger (si la viande est très maigre, ajouter un soupçon de beurre dans la poêle). Faire cuire une minute à feu très chaud pour saisir, puis réduire la température et laisser cuire encore une minute. Retourner la viande, remettre à haute température pendant une minute et demie ou plus si désiré.

Pour varier le goût, sortir le hamburger et ajouter deux cuillers à soupe de vin; chauffer et remuer pour déglacer. Verser sur le hamburger. Pour un mets plus relevé, mêler à la viande 2 cuillers à café de câpres et une cuiller à café d'oignon émincé. Pour relever davantage encore, remplacer les câpres par une cuiller à café de moutarde préparée.

Angie est aussi compétente en cuisine qu'à son travail (elle est secrétaire légale). Elle aime cuisiner, pour elle comme pour les autres, et elle est connue pour sa "touche spéciale" qui confère à ses plats beaucoup de distinction, de séduction et de saveur. Sa recette est idéale pour les jours où vous avez envie de vous traiter royalement. On peut également l'utiliser pour recevoir parce qu'il suffit de la doubler ou de la tripler s'il y a plus d'invités.

Le steak élégant (Angie)

200 à 225 g (6 à 8 oz) de filet de boeuf
1/2 c. à soupe de beurre
1/4 de c. à café de sel
du poivre fraîchement moulu
1 c. à café de vin rouge sec
1 c. à café de fromage bleu émietté

Beurrer la poêle et faire cuire le steak 3 à 4 minutes de chaque côté. Saler, poivrer. Réserver dans une assiette chaude. Verser le vin et le fromage dans la poêle. Laisser cuire jusqu'à consistance lisse. Verser sur le steak et servir.

Le "parfait célibataire" (selon ses propres termes) existe bel et bien; il travaille comme scénariste dans le sud de la Californie. Un programme chargé et un horaire irrégulier obligent Dave à prendre ses repas en ville une grande partie de la semaine, mais les fins de semaine, il peut donner libre cours à son imagination culinaire. Son point fort, ce sont les "brunch", et il les apprête merveilleusement bien.

L'omelette nature (Dave)

2 oeufs
2 c. à soupe d'eau
1/4 c. à café de sel
1 c. à soupe de beurre
3 tranches minces d'avocat
3 tranches minces de tomate
60 g (1/4 de tasse) de luzerne germée
2 c. à soupe de yogourt nature
1 c. à soupe de noix finement hachées

Mélanger les oeufs, l'eau et le sel. Mettre le beurre à fondre dans la poêle. Ajouter les oeufs et cuire doucement, à petit feu, en décollant régulièrement les bords de façon à assurer une prise uniforme des oeufs. Juste avant de plier l'omelette, lorsqu'elle est encore baveuse, déposer la luzerne germée, ainsi que les tranches d'avocat et de tomate, sur une moitié de l'omelette. Replier et retourner en mettant dans l'assiette. Recouvrir avec les noix et le yogourt. C'est délicieux.

Les gens qui exercent des professions libérales sont souvent très occupés; ils n'ont pas beaucoup de temps à consacrer aux achats, encore moins à la cuisine. Mon amie Jeanne, cependant, emploie ses talents d'administratrice adjointe à compenser le peu de temps qui lui reste en s'adonnant à la cuisine — son passe-temps préféré.

Elle a un secret: elle a toujours à sa disposition les ingrédients de base. En les combinant, elle obtient des variantes, tout aussi alléchantes les unes que les autres. La recette qui suit a été choisie parce que, de celles qui composent son répertoire, elle est celle qui est la plus extraordinairement simple et que ses ingrédients se retrouvent dans toutes les cuisines.

Salade de fruits frais garnie (Jeanne)

Vous ne pouvez pas vous tromper, avec cette salade à usage multiple. Grâce à sa saveur douce bien qu'exotique, elle peut accompagner tout autre mets qu'il vous plaira de servir.

1 banane en tranches
1 pomme vidée, en tranches
1 grosse orange, en quartiers
Mettre les fruits dans un saladier. Puis passer au mélangeur les ingédients suivants:
120 g (1/2 tasse) de fromage cottage
60 g (1/4 tasse) de jus d'orange
1 1/2 c. à café de jus de citron
1 c. à café de miel
1/8 c. à café de sel

Verser sur les fruits et mélanger. Mettre au frais vingt minutes avant de servir.

Phil se présente lui-même comme un "étudiant perpétuel" qui s'est lassé des cafétérias, des snack-bars et des repas-minute avant même de commencer ses études en droit. Il est fier de son efficacité en cuisine. La plupart de ses créations sont du genre "plat complet". La recette ci-dessous s'inspire du ragoût préféré de sa mère.

La fricassée (Phil)
120 g (1/4 lb) de boeuf haché
1/2 c. à soupe de beurre
120 g (1/2 tasse) de nouilles moyennes
120 g (4 oz) de sauce tomate
1/4 c. à café de sel
pincée de poivre
1/4 c. à café de basilic
60 g (1/4 tasse) de gruyère râpé
2 c. à soupe de persil haché

Mettre à chauffer dans la poêle le beurre puis le boeuf en le défaisant. Attendre qu'il soit bien doré. Jeter les nouilles non cuites, la sauce tomate, le sel, le basilic et le poivre. Couvrir et laisser mijoter à feu doux une vingtaine de minutes, ou jusqu'à ce que les nouilles soient tendres, en remuant de temps en temps. Saupoudrer de formage. Couvrir et laisser chauffer encore deux minutes ou jusqu'à ce que le fromage ait fondu. Saupoudrer de persil.

Professeur dans un collège, célibataire à vie, amateur de littérature, bon vivant et spécialiste en chimie culinaire, tel est mon ami Dan. Quand je lui ai demandé de me donner sa meilleure recette, j'ai été surprise qu'il me confie celle, si élémentaire, du boeuf au chili. Selon Dan, ses amis aiment beaucoup venir chez lui manger ce plat épicé. Mais Dan pense plutôt deux fois qu'une. Il sait que son chili est bien meilleur réchauffé. Sa recette est assez généreuse pour que vous puissiez en profiter plus d'une fois.

Le boeuf au chili (Dan)

300 g (3/4 lb) de boeuf haché
1 oignon, taille moyenne, coupé en dés
1 boîte de haricots blancs (égouttés)
1 boîte de 500 g (1 lb) de tomates entières
2 c. à soupe de poudre de chili
1 1/2 c. à café de sel
1/4 c. à café de poivre

Faire revenir le boeuf et les oignons. Ajouter les tomates, en les séparant à la main. Remuer tout ensemble avec la poudre de chili, le sel, le poivre et les haricots. Laisser mijoter une heure.

Kay est dessinatrice technique et partisane acharnée des aliments naturels. Elle passe la majeure partie de son temps à jouer au tennis et elle s'occupe un peu de l'immobilier. Elle dit qu'elle n'aime pas vraiment faire la cuisine, mais qu'elle veut bien manger et donc qu'elle est prête à passer le temps qu'il faut à faire la cuisine.

J'ai eu plus d'une fois l'occasion de goûter à son poulet mariné, et je lui ai demandé la permission de reproduire ici sa recette parce que c'est un plat complet qui peut se resservir plusieurs fois, avec toujours le même plaisir. Kay vous conseille de choisir les morceaux de poulet que vous aimez au supermarché ou chez le boucher, et d'essayer sa recette. Laquelle ne saurait être plus simple ni avoir meilleur goût.

Poulet mariné (Kay)

2 à 4 morceaux de poulet (peau et gras enlevés)

Dans un grand saladier, mélanger:

2 c. à soupe de jus de citron
2 c. à soupe de sauce soja
1 c. à café de moutarde sèche
2 c. à café d'huile à salade

Ajouter le poulet et remuer pour bien l'imprégner. Réfrigérer pendant au moins quatre heures, en remuant de temps en temps. Faire rôtir sur un barbecue, à l'extérieur, ou dans une casserole à fond non adhérent (qui se nettoie plus facilement) et mettre 45 minutes au four à 200°C (400°F).

Sandy n'a pas beaucoup de temps pour faire la cuisine parce qu'elle prépare son doctorat, mais elle s'arrange pour rester à la hauteur de sa réputation de fin gourmet. Ses amis n'en finissent pas de louer les chefs-d'oeuvre gastronomiques qui sortent de sa cuisine. Quand elle prépare des lasagnes, elle fait ses pâtes elles-même. Elle n'utilise que des herbes aromatiques fraîchement coupées (elle en a plusieurs pots sur le rebord de la fenêtre). La plupart de ses recettes sont conçues pour plusieurs personnes, utilisent des ingrédients variés et comportent des instructions détaillées. Je lui ai demandé de m'en donner une qui soit simple et convienne pour beaucoup de monde, et elle m'a apporté celle-ci. Avec un minimum de travail et à condition d'y apporter votre touche particulière, vous confectionnerez un plat à vous en faire venir l'eau à la bouche, à vous titiller les papilles gustatives — un plat qui vous laissera avec un goût de "revenez-y"!

Poulet cordon-bleu (Sandy)

1 tranche mince de jambon cuit haché
30 g (1 oz) de gruyère
1/8 c. à café de poudre d'ail
1/8 c. à café de poivre
1/8 c. à café de thym écrasé
1/2 poitrine de poulet, peau et gras ôtés
1 c. à soupe de farine
1 oeuf battu
1 c. à soupe de chapelure
2 c. à thé de beurre
2 c. à thé d'huile

Mélanger le jambon, le fromage, la poudre d'ail, le poivre et le thym. En farcir la poitrine dans les espaces laissés libres par le désossement. Replier les bouts de façon à donner la forme d'un rôti et rouler le poulet dans la farine puis dans la chapelure. Bien paner. Dans une petite poêle, chauffer le beurre et l'huile et faire dorer le poulet sur tous ses côtés. Mettre dans une casserole à fond non adhérent et laisser cuire au four, préalablement chauffé à 190°C (375°F) pendant 20 à 25 minutes. Servir le poulet encore ferme, dans son jus.

Norma est veuve mais elle a un goût de vivre absolument contagieux. Il n'est pas possible d'être avec elle et de ne pas éprouver son enthousiasme. C'est une femme que rien ne retient — il n'y a rien qu'elle ne puisse faire. Passer la nuit à danser dans une salle de bal voisine est pour elle chose banale. L'été, il lui arrive souvent de partir, sac au dos, dans la Sierra Nevada ou dans les sauvages beautés du Canada.

Sa contribution à ce chapitre résulte d'une conversation que nous avons eue sur la façon dont elle se préparait aux fêtes de Noël. Selon Norma, il y a des fêtes ou des occasions spéciales que l'on ne peut pas célébrer autrement qu'avec une dinde. Mais qu'est-ce que vous faites si vous êtes seul? Depuis qu'on trouve aisément des morceaux de dinde, eh bien, vous pouvez en acheter un et avoir ainsi votre dinde rôtie.

Une demi-poitrine de dinde, dodue et bien en chair, pèse juste un peu plus de deux livres; cela vous assure un bon dîner, avec juste ce qu'il faut de restes pour un ou deux savoureux sandwichs.

Demi-poitrine de dinde rôtie (Norma)
2 livres de poitrine de dinde
1/2 tasse de boisson gazeuse citron-limette
sel, poivre moulu
un peu de sauge

Saupoudrer l'intérieur de sauge et l'extérieur de sel et de poivre. Faire cuire dans une casserole à fond non adhérent à 200°C (400°F) de 50 à 60 minutes, en arrosant de boisson gazeuse après 30 minutes et 5 minutes avant de servir.

Ce choix de recettes vise à faire rebondir votre penchant pour la cuisine si vous l'avez perdu ou, peut-être, à le susciter si vous n'en avez jamais eu. Si vous êtes un chef cuisinier expérimenté, j'espère que vous aurez néanmoins envie d'essayer une ou deux de ces spécialités. Quant aux novices, ils trouveront des renseignements complémentaires dans les paragraphes ci-après.

Comment, et par où puis-je commencer?

Il est bon de commencer par dresser la liste de ce que vous voulez acheter au supermarché. Si vous n'avez pas d'inclination particulière pour la cuisine, vous pouvez choisir des fromages, des craquelins, des fruits frais, des soupes en boîte et autres produits simples. Si vous avez été victime de tablettes dénudées et d'un réfrigérateur désert, vous trouverez probablement bien agréable d'avoir toutes ces denrées à portée de la main. À partir de là, vous pouvez augmenter votre liste chaque fois que vous vous rendez au supermarché. Il est bon d'avoir sous la main tout ce qui, mis ensemble, est susceptible de constituer un repas simple et substantiel.

Une approche différente, et qui peut vous obliger à plonger tête la première, consiste à choisir, dans un magazine ou un livre de cuisine, une recette qui vous plaît, acheter les ingrédients nécessaires et puis concocter votre chef-d'oeuvre. Vous risquez de ne pas porter attention à la quantité, mais tant pis. Faire des achats en vue d'une recette particulière a un côté très amusant.

Une de mes amies qui, depuis la mort de son mari, n'avait pas fait cuire en deux ans autre chose que des saucisses, est repartie à neuf grâce à une recette de boeuf Stroganoff; elle a fini par confectionner non pas un mais plusieurs repas délicieux. Elle m'a dit par la suite qu'il avait suffi d'une fois pour que toute son attitude change. "Je me sentais tellement limitée par le fait d'avoir à préparer pour une seule personne, dit-elle, mais plus maintenant. Je peux faire tout ce que je veux parce que je ne me soucie plus de la quantité. Je me sers énormément de mon congélateur, je donne de la nourriture à mes amis, et même à mes collègues à l'occasion."

Arrangez-vous pour faire votre marché chaque semaine, si vous le pouvez. Achetez les plus petites quantités possibles quand il s'agit de denrées périssables. Beaucoup d'épiciers divisent volontiers en deux un carton d'oeufs. Le beurre peut s'acheter en petites portions si besoin est. Beaucoup de produits d'épicerie, depuis les soupes jusqu'aux repas complets, sont maintenant disponibles en portions individuelles.

Utilisez votre congélateur pour conserver le fromage, le pain, le beurre et autres produits périssables. Certaines des recettes que j'adore préparer sont conçues pour six ou huit personnes, et ne peuvent se réduire à une seule portion. Si je n'attends pas d'invités pour le souper, je congèle ce qu'il y a en trop en faisant des portions individuelles et je les utilise dans mes listes de menus des semaines suivantes.

Si vous êtes novice en cuisine et ne savez pas très bien comment vous y prendre, je vous exhorte à acheter un bon livre de cuisine. Avant que soient publiés ceux qui se spécialisent dans les recettes pour une personne, j'excellais à diviser en deux — voire en quatre — les recettes afin de les adapter à mon appétit de femme seule. Mais aujourd'hui, il existe plusieurs bons livres de recettes pour une personne ou deux sur le marché. Celui que je préfère est *Repas pour un ou deux*, publié par *Better Homes and Gardens*.

C'est un guide excellent pour la cuisine à petite échelle, avec plus de 190 recettes de plats principaux, de plats d'accompagnement, de desserts et de boissons.

Mais surtout, il contient une section de "trucs et techniques" pour organiser et préparer les repas. Cette partie comprend des guides pour établir les menus, des renseignements sur la nutrition, des conseils pour acheter les produits alimentaires, pour pallier les urgences ainsi que des suggestions sur la façon de cuisiner pour soi tout seul. Mieux encore, c'est un livre de cuisine qui s'adresse en même temps aux débutants et aux cuisiniers d'expérience, avec des conseils pour approvisionner et arranger fonctionnellement votre cuisine, pour choisir vos instruments, acheter un bon équipement de base, vous procurer des denrées comestibles et les entreposer correctement. Il comprend également des instructions pour la cuisine à micro-ondes.

C'est un excellent livre à avoir sous la main si vous désirez inviter quelqu'un à dîner, car plusieurs des recettes proposées sont conçues pour deux. En contrepartie, la plupart des recettes pour deux peuvent se convertir en recettes pour un.

Les chroniqueurs alimentaires, dans les journaux, sont devenus parfaitement conscients de ce que presque le quart des foyers aux États-Unis n'ont qu'une personne. Les rares recettes individuelles autrefois incluses dans les pages hebdomadaires sont devenues maintenant monnaie courante. J'en découvre une bonne, de temps en temps, et je l'ajoute à mes recettes favorites. Une nouvelle recette peut ajouter beaucoup de "piquant" à votre choix hebdomadaire de menus.

Dans quoi est-ce que je fais cuire cela?

Nous en arrivons à la question de l'équipement et des ustensiles nécessaires pour cuisiner. Je suppose que les seuls articles vraiment indispensables dans une cuisine sont un couteau, une cuillère et une casserole. Parmi les gens qui vivent seuls, il y en a dont les cuisines sont bien fournies et d'autres qui n'ont pas même un chaudron. Si vous êtes dépourvu de tout, il va bien falloir commencer à vous équiper. Comme premier achat, un bon couteau à légumes (pour couper les fruits, les fromages, etc.) est excellent. Un autre achat judicieux serait une batterie de cuisine avec un assortiment de bols à mélanger et de cuillères en bois. Il y a aussi d'autres affaires bien utiles: un solide ouvre-boîtes manuel, un couteau denté, un fouet mécanique, un couteau à éplucher, un tamis, une spatule, un verre et quelques cuillères à mesurer, une cuillère à sauce et une louche. Et tout un ensemble de contenants pour des portions individuelles, comme il se doit.

Sans être exhaustive, cette liste devrait tout de même vous permettre de démarrer. Chaque cuisinier utilise des ustensiles et des appareils différents; ce sera à vous de décider ce dont vous avez besoin et de l'acheter à mesure. Soyez bien conscient que les fabricants, apparemment,se sont aperçus de l'augmentation du marché en ce qui concerne les appareils destinés aux personnes seules; ils produisent maintenant des articles comme des cafetières pour une seule tasse et des cocottes individuelles.

Le vin au verre?

Je ne cesserai jamais de m'étonner devant le nombre croissant, sur le marché, de produits destinés aux consommateurs qui vivent seuls. Récemment, je faisais mes provisions au supermarché lorsque quelque chose de nouveau au rayon des vins accrocha mon regard. C'étaient des petites carafes de vin recouvertes d'un verre renversé; le tout était joliment emballé et attendait d'être acheté par quelqu'un. Ce fut moi. Je choisis un carafon de chablis.

Ce n'était pas la première fois que je laissais des "traces de freinage" dans une allée de supermarché. C'était arrivé une fois déjà, lorsque j'avais repéré des boîtes de soupe d'une portion. Je m'émerveille de voir que le consommateur seul, si longtemps ignoré, est maintenant hissé au rang d'interlocuteur valable.

Chaque fois que je me sers de ma cafetière à une tasse, je remercie les fabricants de faire des articles pour les gens seuls. J'ai pris pendant plus de dix ans du café instantané parce que c'était le seul moyen de préparer une tasse à la fois. Je peux maintenant boire du vrai café — une tasse, une seule, de café fraîchement moulu. Toute publicité mise à part, le goût et l'arôme en sont sublimes — et je l'ai tellement attendu.

J'ai le sentiment que la production d'articles comme le vin au verre, les portions individuelles de soupe, les appareils pour mini-hamburgers n'est qu'un début. Il faut prévoir que les industries alimentaires et les fabricants d'équipement culinaire vont s'intéresser encore davantage à la population célibataire. J'attends avec impatience la suite des événements.

Soyez votre invité à ce repas pour une personne

Seul pour souper? N'en ayez aucun regret. Pensez plutôt aux avantages. Le repas commence exactement à l'heure que vous voulez, ni plus tôt ni plus tard. Vous êtes libre de satisfaire toutes vos envies, tous vos caprices en préparant ce repas. Vous pouvez vous offrir un choix qui atteindrait vite à l'extravagance s'il fallait le multiplier par deux, quatre ou plus encore.

Ce peut être agréable que de vous faire la cuisine pour vous et de manger seul, surtout si vous avez un peu réfléchi à la façon dont vous désiriez vous traiter. Prévoir les menus, faire les emplettes, voilà de quoi agrémenter la vie lorsqu'on est seul.

Juste pour le plaisir, essayez de faire la liste des aliments que vous préférez — tous ces plats succulents qui depuis longtemps vous font venir l'eau à la bouche. Puis allez droit au marché et dites-vous que vous allez remplir vos tablettes et votre réfrigérateur avec les choses que vous aimez. Gâtez-vous, prenez le steak le plus tendre que vous pourrez trouver, une bonne bouteille de vin et une pâtisserie. Achetez-vous des spécialités. Cherchez l'épicerie fine du coin et voyez ce qui peut exciter votre convoitise. Quand vous ressentez de l'ennui, une certaine lassitude à l'idée de faire de la cuisine juste pour vous, il y a de fortes chances pour qu'à vous régaler — d'un plat fin, tout préparé ou d'une bouteille — votre intérêt se rallume.

Seul pour souper? Ayez du style. Apprenez à faire pour vous les plats que vous aimez. Point n'est besoin d'avoir quelqu'un à servir ou d'être servi pour que ce repas soit marquant. Plutôt que d'adopter le genre "Quelle différence ça peut bien faire puisque je suis seul ici", essayez l'inverse. Que chaque repas soit agréable à vivre.

- Combinez vos repas avec le plus d'imagination possible. Préparez-les avec soin et attention. Assaisonnez vos plats avec des épices et des herbes aromatiques.
- Soignez la présentation et créez une ambiance agréable. Dressez la table. Arrangez un bouquet de fleurs. Mettez un peu de musique.
- Ménagez-vous un coin douillet pour souper et servez-vous-en. Ayez sous la main de quoi vous occuper — livres, magazines, photos, lettres — afin de pouvoir manger tranquillement.
- Puisque c'est vous qui vous servez, rendez cela drôle. Adressez-vous des félicitations enthousiastes quand vous avez réalisé un pur chef-d'oeuvre.

Je peux presque vous garantir que plus vous aurez innové, plus vous aurez réfléchi à l'élaboration de vos menus, à vos emplettes et à la préparation de vos repas, moins vous trouverez pénible de souper seul. Lorsque je sais que je passerai seule le samedi soir, je prévois, si le temps le permet, un barbecue à l'extérieur; sinon, je me confectionne un plat spécial ou un dessert supplémentaire. De cette façon, j'ai quelque chose en vue qui, de plus, me tient occupée, est constructif et me donne un énorme sentiment de satisfaction.

Un de mes voisins, veuf, passe chaque samedi à préparer des plats en sauce très élaborés. Il aime à faire cela, dit-il, à s'y préparer et en plus il peut, toute la semaine qui suit, en savourer le produit. J'ai une autre amie qui est devenue la spécialiste des plats en ragoût. Elle collectionne tous les livres de recettes de plats à mijoter, en essaye une chaque semaine et invite régulièrement ses amis à venir goûter ses réalisations (je me souviens du temps où, sur sa liste d'achats, n'apparaissaient que les ingrédients nécessaires à la confection de sandwichs au saucisson).

Cuisiner est devenu pour moi une sorte de thérapie personnelle. Parfois, quand je me sens particulièrement seule, je me retire à la cuisine, je choisis une recette et je travaille dessus; j'oublie rapidement ma solitude et il me reste quelque chose de ce à quoi j'ai occupé mon temps. Je trouve que faire la cuisine est un moyen particulièrement efficace de combattre la dépression. Même si je ne fais pas plus que de presser un sac d'oranges pour en extraire du jus, je me vois doublement récompensée. En général, mes pensées volent un peu plus haut parce que je suis forcée de leur donner une autre direction, et j'en ai pour plusieurs jours à me délecter de jus frais. De fait, juste à l'idée qu'il y a du jus dans le réfrigérateur qui m'attend, je me sens ragaillardie.

Ce peut être vraiment un plaisir que de cuisiner juste pour soi. Que vous fassiez un seul plat ou que vous fassiez un ragoût pour le diviser en parts individuelles, c'est un coup d'envoi à une multitude de merveilleuses expériences gastronomiques en solo. Jouir seul de vos repas, cela *fait partie* intégrante de votre vie seul. Vous ne pouvez aimer l'un sans l'autre.

9

Vivre avec les gens

J'ai déjà dit à des gens: "Ce n'est pas *où* vous vivez qui compte, c'est *la façon* dont vous vivez." Néanmoins, en en discutant avec des gens seuls, j'insiste beaucoup sur le fait que, lorsqu'on vit seul, l'endroit *est* aussi important que le mode de vie.

C'est qu'il y a eu une époque où je tenais mordicus à ma première façon de penser, et je désapprouvais les gens qui soutenaient l'opinion opposée, soit ma deuxième (et actuelle) position. Une pénible expérience personnelle m'a appris à penser différemment.

La ville en bordure de la baie

J'ai vécu seule pendant une dizaine d'années. Les cinq premières années, j'occupais, dans le sud de la Californie, un appartement qui donnait sur une baie et dont je raffolais. Il y avait beaucoup de célibataires dans le quartier et, peu à peu, nous nous sommes fondus en une espèce de petite famille. Il y avait toujours quelqu'un sur la plage pour engager la conversation; il était toujours possible de faire du canoë, de la bicyclette, de souper, d'aller au cinéma. Tout ce dont on pouvait avoir besoin était à quelques minutes de marche — de bons restaurants, un cinéma, une épicerie fine, une librairie bien achalandée, des boutiques de toutes sortes, un magasin de crèmes glacées. Le grand océan Pacifique lui-même n'était qu'à quelques coins de rue. C'était le paradis des âmes esseulées.

En route pour de verts pâturages

Pour vouloir quitter un tel endroit, il fallait être fou. Si je regarde en arrière, je me dis que j'ai dû l'être. Mais j'aspirais à de verts pâturages, plus au sud sur la côte, et à une promesse de prospérité — à la fois sociale et économique. Je fis à l'appartement sur la baie de tristes et tendres adieux et m'aventurai dans un appartement vaste et calfeutré, en bordure de mer.

Tout s'y passa bien les deux premières années. Puis, en avril, Oncle Sam mordit à belles dents dans cette contribuable qui n'était pas mariée; je fus contrainte de chercher un appartement où les taxes annuelles seraient moins élevées. C'était à l'époque où, pour une célibataire, posséder une maison était à peu près chose inusitée — un tabou. N'en tenant aucun compte et défiant les conventions, j'allai de l'avant et dénichai une adorable petite maison, à un prix fort raisonnable.

Je dois mentionner ici que, même si mon revenu était stable et honnête, je ne pouvais pratiquement pas emprunter parce que j'étais célibataire. Situation ironique: le gouvernement me punissait en me taxant de façon absolument déraisonnable parce que j'étais célibataire et, en même temps, était peu disposé à m'accorder la possibilité de compenser mes dettes.

Je tins bon néanmoins et, après un certain temps, l'endroit était à moi. Je fus immédiatement emportée par la fierté d'être propriétaire; en moins de trois ans, on se serait cru dans une maison de poupée. Je m'affairais, j'ajoutais peu à peu des objets, à l'intérieur et à l'extérieur. C'était devenu une grande source de divertissement pour moi.

J'avais des voisins merveilleux et mes amis venaient souvent me voir. En vérité, j'étais très satisfaite de mon existence; j'étais heureuse là, et je n'avais pas Oncle Sam sur les talons.

À partir de la quatrième année, cependant, je commençai à m'ouvrir les yeux et à réaliser que je devenais esclave de la maison. Tondre la pelouse, jardiner, tailler la haie, tout cela était plus ennuyeux qu'amusant. Les ''verts pâturages'' représentaient une pelouse de 400 mètres carrés qui demandait à être coupée chaque semaine. Je n'en pouvais plus. Ajoutez à cela qu'en ce qui concernait ma carrière, je me trouvais à un carrefour. Il était temps de déménager. Je mis la maison en vente et trouvai acquéreur le lendemain.

Recluse solitaire

Je décidai de ne pas réinvestir les profits que j'avais retirés de la vente tant que je n'aurais pas pris de décision quant à ma carrière. Je louai donc un petit appartement isolé, donnant sur la plage, dans une ville résidentielle située encore plus au sud. Je me croyais tellement habituée à vivre seule, alors, que j'étais sûre que l'isolement ne me pèserait pas. La suite le prouva, je faillis en mourir.

Excepté au travail, je n'avais aucun contact humain régulier sur quoi compter: aucun voisin à qui parler — et des amis qui trouvaient que j'habitais trop loin pour venir autrement qu'à l'occasion.

Ce fut une année de réclusion solitaire, au sens littéral du terme — une pure misère. Rien ne semblait marcher ou présenter le moindre attrait. Je me désintéressais même de mon passe-temps préféré — la cuisine. C'est à cette époque que j'ai compris comme il était important d'avoir, dans son voisinage, des gens à fréquenter. Je trouvais tout aussi important d'avoir, pas loin de soi, de quoi se distraire. Car j'avais tellement de distance à couvrir pour trouver quelque chose que, finalement, je ne faisais rien. Toute initiative semblait m'avoir abandonnée, moi qui autrefois me sentis tellement poussée vers les activités sociales extérieures.

Je trouve mon nirvāna

Heureusement, ma carrière prit à ce moment-là, un tour positif; après avoir longuement réfléchi, je décidai de chercher le "lieu idéal où vivre". C'était peut-être une utopie, mais je savais ce que je voulais et j'étais optimiste.

Après quelques mois de recherche, je repérai un bel appartement en copropriété, nouvellement bâti, dans un petit immeuble habité uniquement par des adultes. Le logement était divin, avec alentour un boisé de toute sécurité et bien entretenu. Pour couronner le tout, l'immeuble était situé à deux kilomètres d'un centre d'achats et de salles de spectacles qui venaient d'ouvrir. Trop beau pour être vrai. J'avais trouvé mon nirvāna, je pouvais commencer à vivre.

Comme j'étais la première résidente à occuper les lieux, j'ai pu faire connaissance avec mes voisins au fur et à mesure qu'ils arrivaient. Je n'ai pas été surprise de constater que la moitié d'entre eux étaient des célibataires qui, eux aussi, cherchaient un endroit où ils pourraient habiter confortablement tout en réalisant leurs désirs de contacts sociaux.

Après trois années, nous convenons que c'est le meilleur des mondes possibles; aucun de nous n'aurait pu faire un choix plus sage. À bien voisiner, il s'est créé parmi les résidents une ambiance de famille. L'intimité de chacun est scrupuleusement respectée; l'aide et la compagnie sont à prendre et à donner. Il en est résulté un réseau solide de relations de soutien, à l'intérieur de l'immeuble. Nous aimons nous retrouver: autour de la piscine, au club, chez nous.

En même temps, juste à notre porte, nous avons toutes sortes d'occasions — magasins fabuleux, distractions, un parc bien entretenu par la ville, avec des sentiers pour le jogging et la marche, une église non confessionnelle, très populaire, une école secondaire offrant des activités éducatives, culturelles et récréatives — pour n'en citer que quelques-unes. Pour moi qui suis seule, c'est la vie rêvée, et je m'estime bien chanceuse de l'avoir trouvée.

À partir de ces expériences et des discussions que j'ai eues avec des gens vivant seuls, j'ai conclu que l'endroit où l'on choisit d'habiter sera grandement responsable du fait qu'on aimera ou non sa vie solitaire. Le choix des lieux est important, ne serait-ce que par ce qu'il implique en termes d'occasions de rencontres et de loisirs. À moins d'être fortement enclin à la vie d'ermite, je crois bien qu'il est sage de choisir, pour vivre, un endroit qui maximise les possibilités de contacts sociaux et d'expériences.

J'ai déjà fait remarquer qu'il y avait au moins un avantage à vivre seul: la mobilité. Choisir un lieu de résidence adéquat est une bonne façon de s'en prévaloir.

Se reloger

Beaucoup de gens seuls doivent, à un moment donné, penser à déménager. Lorsque la question se pose de trouver à se reloger, il est sage de procéder avec prudence, en prenant la peine d'étudier les possibilités et d'organiser son déménagement.

Lorsqu'un partenaire — mari, femme ou amant — quitte le domicile, celui qui reste peut ne vouloir qu'une chose: déménager. C'est un instinct facile à comprendre et qui se résume en un mot: *fuir!* Il est urgent de changer de logement car les souvenirs dont il est rempli rendent d'autant plus difficile la transition entre être la moitié d'un couple et être une personne seule et autonome.

Certains se trouvent bien de briser là et de repartir à zéro. C'est parfois une bonne idée que de déménager; on rompt avec le passé et on essaye de repartir à neuf. Si cela se fait dans de bonnes conditions, ce peut être profitable. *Malgré tout, aucun déménagement ne doit se faire à la hâte.* Quand on est seul, habiter un lieu confortable et que l'on connaît bien revêt une importance toute spéciale. Quitter, de façon précipitée, un environnement qui vous est familier peut faire qu'on se sente exilé ou isolé une fois relogé. Il vaut mieux couper graduellement les liens sentimentaux. Pour que l'adaptation à votre nouvelle vie soit plus douce et plus durable, il faut que vos adieux à tout ce qui, pour vous, signifiait beaucoup soient bien pesés.

Après une mort, un divorce, une séparation, où irez-vous vous reloger? Voyons ensemble les choix les plus probables devant lesquels vous allez vous trouver.

Posséder une maison

Depuis le début des années 70 s'est amorcée une tendance, chez les célibataires, à devenir propriétaires d'une maison et, d'après les professionnels de l'immobilier, cette tendance s'accentue. À en croire une grande compagnie privée d'assurances et d'hypothèques, l'appartement des célibataires s'efface lentement de la scène au profit d'un nouveau symbole de statut social: la propriété d'une maison.

Pour un nombre croissant de personnes seules, la stabilité que procure la possession d'une maison est en train de modifier l'essence même de la vie de célibataire. Les célibataires quittent leur appartement pour acheter une maison en alléguant des raisons financières, mais aussi des considérations pratiques. Ils découvrent que la propriété d'une maison leur donnera droit à un abattement d'impôt, et leur procurera une assise financière, du prestige et un rempart contre l'inflation. Ils mettent aussi de l'avant d'autres avantages, comme le voisinage, la qualité de la vie privée, le sentiment d'être chez soi, une plus grande sécurité et la liberté de se créer un espace qui soit fonction de leurs goûts et de leurs besoins.

J'ai lu avec énormément d'intérêt, dans un article de journal, que l'émergence de cette classe de célibataires propriétaires avait eu le résultat de faire reconnaître comme acceptable, voire désirable, le mode de vie solitaire. Quelle ironie, me disais-je. Lorsque j'ai acheté ma première maison, en 1970, non seulement comme je l'ai déjà dit, j'ai eu beaucoup de mal à obtenir une hypothèque parce que j'étais célibataire, mais en plus je ne voulais pas du tout que ma décision soit connue. À cette époque, le propriétaire célibataire était l'objet d'un véritable opprobre; il m'était donc plus facile de garder le secret que d'expliquer que je n'étais pas en train de m'installer dans l'état soit de vieille fille soit d'ermite à perpétuité.

Avoir une maison implique un engagement et vous donne une chance de veiller à votre sécurité financière. Cela peut aussi avoir comme effet de vous centrer autour d'un mode d'existence plus concret (au sens propre et au sens figuré). De plus, on se sent tellement bien quand on invite les gens *chez soi*. J'ai constaté d'ailleurs que ceux qui vivent en appartement aiment vous rendre visite quand vous avez une maison — vraisemblablement à cause de ce sentiment qu'on éprouve à être dans un lieu béni des dieux.

Les copropriétés

Parmi les gens seuls qui cherchent à se loger, il y a une tendance à chercher du côté des "habitations à unités multiples", en général des appartements ou des maisons de ville en copropriété. Les motivations les plus fortes pour acheter en copropriété semblent liées à la sécurité, l'entretien gratuit, les avantages d'une vie sociale et l'intérêt de l'investissement comme tel.

Si, à l'intérieur, vous pouvez décorer votre unité en suivant votre goût particulier, par contre la responsabilité des frais d'entretien à l'extérieur ne vous incombe pas. Il n'y a pas de pelouse à tondre, pas de gouttières à nettoyer, pas de poubelle à sortir deux fois par semaine.

Habituellement, les appartements en copropriété reviennent moins cher que les maisons unifamiliales. Mais les deux, maisons et appartements, continuent à représenter un bon investissement pour quelqu'un de seul.

Les complexes pour adultes et les foyers pour personnes âgées

Un jour que je mangeais des fruits de mer dans mon restaurant préféré, une dame d'environ soixante-dix ans, très guillerette, s'assit à mes côtés. La conversation s'engagea et, soudain, elle laissa échapper: "Je suis si heureuse de pouvoir vous parler. Il vient de m'arriver quelque chose de formidable et j'adore en parler aux gens."

Elle me raconta alors que son mari était mort au cours de l'année précédente et qu'elle venait d'emménager dans un appartement à elle, situé dans une maison de l'âge d'or. "Pour la première fois de ma vie, je vis seule, et j'aime follement ça! Je savoure mon intimité et ma liberté à un point! Vraiment, je n'ai jamais eu autant de plaisir. C'est comme si je refaisais ma vie!"

Elle me confia que, lorsqu'elle avait envisagé de se reloger dans une ville située à plus de 100 kilomètres de l'endroit où elle avait toujours vécu, beaucoup de ses amis l'avaient avertie qu'elle allait trouver cela affreux. "Alors, j'ai décidé que de toute façon j'en ferais une expérience valable. Après tout, s'adapter, c'est juste une question d'attitude. J'aime mon nouveau logement et je me fais chaque jour de nouveaux amis. Je n'ai pas une seule fois regretté ma première place."

Pourquoi choisit-on de laisser une maison qu'on aime et qu'on connaît pour déménager dans un complexe pour adultes ou une maison de l'âge d'or? Des gens âgés et d'autres moins âgés, seuls, qui choisissent d'y habiter, disent le faire pour des raisons de sécurité, pour vivre avec des gens de leur âge, pour pouvoir se faire de nouveaux amis, pour avoir des activités sociales et récréatives, et pour bien d'autres raisons encore.

Il suffit de regarder autour de soi pour se rendre compte que notre société change vite, et qu'elle a grandement évolué ces vingt-cinq dernières années. Alors que dans le passé, il n'était pas rare, pour les membres d'une famille, d'habiter dans des quartiers voisins d'une même *ville*, maintenant c'est dans des quartiers disséminés dans tout le *pays* qu'ils vivent. Il y a de quoi se sentir délaissé quand on vit seul. Mais dans un complexe pour adultes ou un foyer pour personnes âgées, les gens peuvent ne pas se sentir aussi facilement abandonnés. Ils peuvent, dans des immeubles multi-unitaires, établir des contacts sociaux significatifs, c'est pourquoi ils aiment y vivre.

La composition du voisinage change avec les années, créant pour certains une situation d'isolement social. Beaucoup l'ont expérimenté: on se réveille un beau matin et on est étranger à son propre environnement. Dans une résidence commune au moins, on a une chance de se constituer à nouveau un sentiment d'appartenance, parfois même une vie plus remplie.

Le style de vie d'un complexe pour adultes ou d'une maison pour personnes âgées peut ne pas convenir à tous. Cependant, c'est là une forme d'existence de plus en plus en vogue chez les plus de quarante ans. Des nombreuses personnes qui habitent ces résidences communes et avec qui j'ai parlé, pas une n'a dit regretter son choix de vivre ainsi avec d'autres.

"Pousser quelques racines"

Certains solitaires, peut-être à cause de la nature de leur condition, vivent comme à l'essai. Ils tiennent à garder un statut de passage, déménagent fréquemment d'un endroit à l'autre. Beaucoup semblent ne pas avoir de sentiment particulier d'appartenance. Cette sorte de "déracinement" va jusqu'à provoquer de l'anxiété, de l'insécurité, du mécontentement et, dans quelques cas, un véritable chagrin.

Un homme divorcé m'a révélé que, les premiers temps qu'il vivait seul, ce sentiment de n'être de nulle part l'avait presque rendu fou. "Je ne savais plus du tout où me diriger, me dit-il. Je suis allé jusqu'à tenter de planter quelques "racines" dans des bars de célibataires. Mais je n'ai pas été long à m'apercevoir que ce n'était pas, en tout cas pour moi, la meilleure façon d'établir des relations humaines stables. Alors, j'ai envisagé de déménager dans un endroit qui m'offrirait ce genre d'occasions."

Il choisit un appartement dans un immeuble réputé pour le faible roulement de ses occupants. Très vite, il éprouva un sentiment d'appartenance; sa stabilité sociale est ancrée dans son lieu de résidence.

Il est important, lorsqu'on est seul, de se constituer un foyer — de s'établir dans un endroit qu'on peut dire sien. Même si posséder un lieu à soi n'est pas la priorité numéro un, il reste que, pour beaucoup de gens seuls, s'installer dans ce qu'ils peuvent appeler leur chez-soi est en bonne place dans la liste de leurs aspirations. Ils savent qu'ils en retireront un bien plus grand sentiment de stabilité et de bien-être.

Car il en est qui, sans même s'en rendre compte, ont indubitablement tendance à se laisser aller quand ils doivent arranger et meubler leur intérieur. "Pourquoi ferais-je quelque chose de spécial juste pour moi?" C'est là, semble-t-il, une attitude répandue. Je suis sûre que maintenant vous connaissez ma réponse: c'est justement pour cela que vous *devriez* le faire. Parce que c'est juste pour vous.

Se créer, quand on vit seul, en environnement chaleureux, confortable, qui nourrit et qui stimule, est un effort qui mérite la peine qu'on se donne et qui peut aussi faire toute la différence entre aimer ou ne pas aimer vivre seul.

Il est très agréable d'avoir un endroit où l'on aime rentrer; si, en plus, vous y ajoutez votre petite marque particulière qui en fait un lieu strictement vôtre, vous en tirerez d'autant plus de plaisir. Prendre le temps d'aménager, pour soi, un logis douillet donnera beaucoup plus de sens à votre vie.

Si vous vivez en relation avec les gens, si vous avez de quoi vous divertir au dehors, si vous êtes ouvert à toutes les autres occasions de rencontres sociales, cela peut grandement vous aider à être capable de vivre seul et à aimer cela. Tous ces facteurs sont à prendre en considération s'il vous est donné de choisir la scène sur laquelle vous allez évoluer. C'est à vous de trouver l'endroit le plus à même de s'accorder à vos besoins.

Certains solitaires sont connus pour faire bande à part et se rassembler en petites communautés. Ils déménagent dans les mêmes endroits, partagent habituellement le même voisinage ou le même complexe. Ces groupes ont une grande cohésion et établissent entre eux des relations de type familial qui constitue un fort réseau de soutien.

C'est sans doute libérateur que de s'apercevoir qu'on peut s'établir où bon nous semble. D'autres, par contre, se voient contraints par les circonstances à vivre dans un lieu qu'ils n'ont pas choisi. Ceux-là doivent fournir de grands efforts pour que leur lieu de résidence finisse par être à même de satisfaire leurs exigences de vie.

10

Votre propre fabrique d'argent

Vivre seul, c'est avoir le contrôle absolu de son
avenir, financièrement parlant — à condition de vouloir l'exercer.

C'est là une notion fondamentale qui, enfin, commence à se faire jour dans la communauté des célibataires. Un nombre inouï d'hommes et de femmes célibataires cherchent à investir en pensant au futur. Ils font
travailler leur argent, et de bien des façons, avec l'espoir
d'atteindre à une sécurité financière. Il semble que,
brusquement, ils soient devenus conscients que plus tôt ils
se mettront à rassembler les éléments de leur capital
financier, mieux ce sera.

Les célibataires et les mythes de l'argent

Pendant longtemps a prévalu une certaine vision
négative des rapports existant entre les célibataires et

l'argent. On soutenait que les célibataires (surtout les femmes) n'avaient pas de véritable pouvoir d'achat. On butait aussi contre cette idée que les individus qui envisagent de se mettre un jour en ménage avaient tendance à ne pas investir, pour leur avenir financier, tant qu'ils n'avaient pas trouvé de partenaire. Beaucoup de célibataires menaient une vie insouciante et faisaient preuve d'une indifférence, à la limite choquante, en ce qui concernait leur sécurité financière.

Ces derniers temps, cependant, le pouvoir financier des célibataires, des femmes en particulier, a sérieusement augmenté. Beaucoup d'États ont promulgué des lois qui interdisent la discrimination à l'endroit des consommateurs uniques. En même temps, beaucoup d'individus seuls, hommes et femmes, se sont mis à convertir leur numéraire en valeurs sûres — ce qui, jusque-là, était l'apanage presque exclusif des couples mariés et des cols blancs de sexe masculin.

J'ai pu mesurer de façon très évidente le degré d'intérêt manifesté par les célibataires pour ce qui touche le domaine financier; il n'y a pas longtemps, un campus de la Californie du Sud offrait un cours qui portait sur ce thème. Arrivée pour m'inscrire bien avant le moment indiqué, je n'ai pu obtenir qu'une place debout.

Il y avait plus de cent vingt personnes, de tous les âges, entassées dans une salle faite pour en contenir la moitié. Les autres ont été renvoyées. On m'a autorisée à rester parce que j'ai accepté de m'asseoir sur le plancher, dans une des allées. Le professeur jouait à guichets fermés chaque semaine; ceux qui ne pouvaient entrer se tenaient dans l'antichambre pour écouter ce qu'il disait.

Pourquoi aujourd'hui les célibataires s'intéressent-ils à ce point à leur avenir financier?

Pour une raison d'abord, c'est que les célibataires sont plus nombreux de nos jours. Et il y a aussi que beaucoup d'entre eux, prévoyant rester célibataires — ou se rendant compte qu'ils le peuvent — deviennent rapide-

ment conscients de l'utilité pour eux d'avoir financièrement les reins solides. Certains trouvent indispensable de
s'enquérir des possibilités d'investissement qui pourront
leur valoir un dégrèvement d'impôt dont ils ont grand
besoin.

Il faut ajouter à cela le fait très important que, *si
vous êtes seul, personne ne pourra entreprendre de vous
assurer financièrement votre avenir, personne d'autre
que vous.*

Les célibataires et
les réalités de l'argent

Il n'est pas surprenant que les célibataires hommes
réussissent, financièrement, plus que les femmes, dans
notre société. Après tout, on n'a jamais poussé les
femmes à réussir comme on l'a fait pour les hommes. La
plupart d'entre eux, bien nantis, fidèles aux prescrip-
tions de la société, se sont fixé des objectifs financiers et
se sont précipités pour les réaliser. Peut-être certains
d'entre eux étaient-ils motivés par le désir d'avoir de solides assises au cas où ils se marieraient; la plupart, toutefois, soignaient tout simplement leur petite personne,
tout en répondant aux attentes de la société.

J'aimerais mettre ces derniers en garde contre une
trop grande assurance et leur donner cet avertissement:
attention, Messieurs, les femmes vous suivent de près.
Aujourd'hui plus que jamais, les femmes sont de plus en
plus indépendantes; elles travaillent et assurent hardi-
ment leur réussite financière. Je ne veux pas, ce disant,
oublier les nombreuses femmes qui, célibataires de
longue date, ont, pendant des années, mené à bien leurs
opérations financières mais qui sont passées relativement inaperçues dans le contexte de la pré-libération
des femmes.

Il y a eu une époque où beaucoup de femmes tenaient leur avoir soit d'un héritage soit d'un divorce. Même si cela se produit encore, il y en a davantage aujourd'hui qui poursuivent activement des objectifs financiers prédéterminés, et les atteignent. Je connais beaucoup de femmes célibataires qui sont propriétaires de leur maison, possèdent des immeubles à appartements soit seules soit en association avec d'autres célibataires, ont fait des placements judicieux en bourse ou en banque et ont des portefeuilles bien garnis en titres et en valeurs.

Parmi tous ces célibataires qui réussissent sur le plan financier, existe un groupe moins privilégié. Il n'y a peut-être personne qui, vivant seul, souffre plus de ne rien connaître en matière de gestion financière que la veuve ou la divorcée qui, pendant des années, s'est fiée à son compagnon pour administrer les affaires familiales. Certaines d'entre elles ont longtemps gagné un salaire mais, plutôt que d'ouvrir un compte en banque à leur nom, elles remettaient leur chèque de paie à leur mari. D'autres, bien sûr, n'ont jamais travaillé et n'en sont que plus désavantagées.

Que ces femmes ne se soient jamais préoccupées d'apprendre les rudiments de la gestion financière ou qu'on ne les leur ait jamais enseigné, elles se retrouvent toutes sur le même bateau et voguent vers l'oubli des réalités financières. Je n'oublierai jamais cette amie qui, divorcée, encaissait tous ses chèques de paie et payait ses factures avec des mandats-poste parce que, dans son idée, tenir ses propres comptes était au-delà de ses capacités.

Écoutez les commentaires de Marian H.; c'est une femme de carrière, qui a un excellent revenu. Depuis son divorce, m'a-t-elle avoué, sa vie est un "désastre financier". "À partir de l'instant où je n'ai plus subi aucun contrôle, j'ai perdu le nord et je me suis mise à dépenser mon argent à mesure que je le gagnais, sans penser à l'avenir." Elle me dit encore: "Être seule a, en quelque sorte, augmenté mon manque de prévoyance en matière d'argent. Lorsqu'il y avait quelqu'un pour me fournir une structure, j'étais beaucoup mieux. J'aurais dû accepter d'être responsable de ma réussite financière, mais je considérais alors ma situation comme provisoire. Maintenant, quatre ans après, je commence à comprendre que j'ai besoin d'être dirigée. En fait, je le *veux*."

Plus nous parlions, plus elle se livrait: "Depuis que je vis seule, cet aspect de ma vie me touche beaucoup plus que tous les autres. Je suis furieuse parce que personne n'est là pour m'aider à gérer mon argent. Toutefois, maintenant que je réalise que personne ne viendra le faire pour moi, je m'habitue à l'idée que c'est à moi d'apprendre le maximum et de me fixer des objectifs. Je ne veux pas finir dans la pauvreté."

Les gens qui vivaient autrefois en couple ont souvent beaucoup de difficulté non seulement à se diriger financièrement, mais à trouver un équilibre en ce domaine. Prenez le cas de Paul J. qui, divorcé après vingt ans de mariage, jouit d'un confortable revenu de cinq chiffres. En sortant de son mariage, il s'est réjoui de sa liberté pécuniaire; lorsque j'ai couru le voir, peu de temps après le jugement, il s'est mis à agiter devant moi une liasse de billets en me disant, tout excité: "Regarde ça! C'est à moi! Tout à moi! Je peux le dépenser exactement comme je veux!"

Habitué aux contraintes du budget familial, Paul allait à l'autre extrême; il gaspillait son argent comme le ferait un gosse dans un magasin de bonbons. Il ne fut pas long à réaliser qu'à dépenser l'argent au hasard, on n'allait pas très loin et qu'il avait plutôt besoin de planifier pour pouvoir utiliser ses fonds à bon escient.

Il existe bien des occasions pour acquérir le savoir de base, quand on en ressent le besoin — entre autres, apprendre par soi-même, ou suivre un cours sur le sujet, ou louer les services d'un conseiller financier. Beaucoup de célibataires se prévalent de l'un ou l'autre ou de plusieurs ensemble pour arriver à mieux se retrouver dans un domaine qui est crucial, s'ils veulent réussir leur vie seuls. Malheureusement, il y a encore des attardés qui continuent à se montrer indifférents à ces réalités.

Pourquoi est-ce que je m'en ferais?

"Pourquoi est-ce que je me préoccuperais de mon avenir financier quand je suis le seul concerné dans cette histoire?"

À ceux qui prétendent n'avoir aucunement besoin de se soucier de leur argent puisqu'ils sont les seuls en cause, je riposte qu'ils m'ont donné la meilleure raison qui soit pour investir du temps et de l'énergie dans leur réussite financière — eux-mêmes. Puisque c'est nous qui, en dernier ressort, avons la charge de pourvoir à nos besoins, il serait sage de commencer le plus tôt possible à assumer et à concrétiser cette responsabilité. Il faut éviter d'être financièrement impuissant.

On dit qu'on peut toujours trouver quelqu'un pour discuter à peu près de n'importe quoi à son sujet — n'importe quoi, c'est-à-dire excepté son *argent*: combien il gagne et ce qu'il en fait. Il peut, sans mal, faire vaguement allusion à sa situation pécuniaire, mais sans trop de détails *s'il vous plaît*. Ceci illustre parfaitement ce que c'est, pour la plupart d'entre nous, que gérer son argent personnel.

Chacun a sa définition de la réussite en matière de rendement monétaire, c'est sûr. Il est, par conséquent, impossible de prétendre donner des formules spécifiques de succès. Il y en a qui préfèrent placer leur argent à la bourse, d'autres investir dans l'immobilier ou des valeurs sûres et à long terme, d'autres encore dans l'or ou les antiquités — et ce n'est là qu'un aperçu des occasions offertes pour faire fructifier votre argent.

Chaque investisseur pourrait justifier logiquement son choix. Ce qu'il faut savoir, c'est que, dès *mainte-*

nant, vous avez quelque chose de fondamental à faire pour prendre un bon départ et assurer votre solvabilité à venir.

Pour assurer votre solvabilité future

Selon Ronald C. Gable, conseiller financier attitré en Californie du Sud, 95% des individus de plus de soixante-cinq ans souffrent d'une mauvaise administration de leurs biens. Ils atteignent la retraite sans avoir mis le moindre sou de côté. 5% seulement ont la possibilité de cesser de travailler quand ils le désirent.

De quoi s'arrêter pour y penser, n'est-ce pas? Même avec la Sécurité Sociale et une pension, les plaisirs et les loisirs que vous escomptez à la retraite pourraient sérieusement diminuer si vous ne vous êtes pas doté d'un bon plan financier.

C'est maintenant qu'il faut préparer votre avenir financier

Vous avez vingt-cinq ans et vous dépensez votre argent en vacances lointaines, ou bien vous avez quarante-cinq ans et vous faites d'énormes versements pour votre luxueuse automobile. Parce que vous êtes célibataire, vous négligez d'établir un plan financier à long terme.

Même si beaucoup de célibataires commencent à exceller dans l'art d'administrer leur argent, il en est d'autres qui ne se sont pas encore avisés qu'il leur fallait mettre au point un plan financier personnel. Mis à part les gaspilleurs notoires, les pires coupables sont ceux qui se retiennent ou qui "reportent" à cause d'un éventuel mariage.

Le gros problème qui les attend, c'est que, lors-qu'un certain nombre d'années se sera écoulé sans qu'au-cune démarche n'ait été faite pour convertir leurs gains en valeurs solides, années et gains seront perdus à jamais. Le moment d'acheter une maison, par exemple, c'est *maintenant*. Si vous vous mariez la semaine pro-chaine, cela ne vous fera pas de mal d'être propriétaire d'une maison.

Qu'importent votre âge, votre revenu ou vos dépen-ses courantes, c'est aujourd'hui qu'il faut commencer à mettre sur pied un plan financier à long terme. Ce n'est pas aussi difficile que vous pourriez le croire — surtout si vous savez utiliser judicieusement votre argent.

Planifiez vos objectifs financiers

Élaborer un plan financier peut, aux yeux des pro-fanes, sembler une entreprise difficile ou rebutante. Pour certains, elle est associée à de grands sacrifices, pour d'autres, à la crainte de calculs financiers compliqués, ce qui leur donne une bonne raison de s'en dispenser; pour presque tous, à une assommante paperasserie. Autant de connotations négatives imméritées.

Faire un plan financier est pourtant bien simple: l'idée est d'établir vos priorités en les ajustant à vos désirs et à vos besoins à long terme et, dans certains cas, en renonçant à quelques plaisirs passagers. Cela exige un examen réaliste de votre état financier, ce qui ne devrait pas avoir comme résultat de faire baisser votre niveau de vie, mais bien plutôt de vous aider à garder plus d'argent pour les choses qui en valent vraiment la peine à vos yeux.

Vu très simplement, un plan financier personnel, c'est ce qui vous permet de réaliser ce à quoi vous aspi-rez dans la vie. Vous devez savoir où vous voulez aller et ce que vous êtes prêt à payer pour y arriver, avant que de choisir les moyens pour y arriver. Il s'agit de mettre au point un plan qui soit fonction de *vos* besoins et de *vos* ressources, et qui vous aide à réaliser *vos* objectifs. Déterminer ce que vous gagnerez finalement à mieux administrer votre argent vous motivera d'autant plus à arrêter un plan et à établir vos objectifs.

La première étape, donc, consiste à *faire l'évaluation de ce que vous voulez.* Ce peut être plus difficile que vous l'imaginez. Il faut vous concentrer pour dresser la liste des besoins qui sont à votre portée — et non pas la liste de vos voeux et de vos rêves impossibles. Certains ont besoin qu'on les aide. Si donc vous n'y arrivez pas tout seul, il est bon de consulter un conseiller financier ou un ami en qui vous avez toute confiance.

Pour fixer vos objectifs financiers, il y a une bonne façon: vous asseoir et vous analyser. Qu'est-ce que vous aimeriez faire, le reste de votre vie, et combien êtes-vous prêt à payer pour cela? C'est à partir de votre revenu qu'il vous faut réfléchir.

Lorsque tout est bien au net, vous vous trouvez devant deux possibilités: dépenser ou économiser. Ce qui signifie souvent choisir entre profiter banalement de son argent (le dépenser) et prévoir l'utiliser dans le futur (l'économiser) — vous priver maintenant pour, plus tard, avoir ce que vous désirez.

Travailler en vue d'un avenir plus facile, plus agréable peut constituer un but dans la vie. Si vous voulez vraiment avoir votre propre villégiature pour vous y retirer quand vous aurez cinquante-cinq ans, alors trouver les fonds nécessaires devient votre objectif. S'il est réaliste et que vous acceptiez de faire les sacrifices nécessaires, tout le reste n'est qu'une question de méthode.

La capacité d'atteindre les objectifs que vous vous êtes ainsi fixés dépend de vos ressources financières et émotionnelles. *Assignez-vous des objectifs réalistes, pratiques.* Tout le monde sait qu'il y a deux façons rapides de réaliser des objectifs financiers — cambrioler une banque ou faire un héritage. Il y a peu de chances que l'un ou l'autre arrive. Il faut donc bien peser tous les éléments en présence et décider quels objectifs peuvent raisonnablement être poursuivis.

Ceci accompli, il vous faut passer à la seconde étape, c'est-à-dire *établir un plan pour atteindre vos objectifs*. Votre plan peut, par exemple, exiger de mettre de côté chaque mois un certain montant d'argent, sous forme d'épargne ou d'investissement. Ce qui peut nécessiter une série de marchandages: renoncer à certaines choses, au moins provisoirement, pour réaliser vos objectifs à long terme. C'est ce qui devrait arriver parce que, étant forcé de donner à vos objectifs un ordre de priorité, il vous faut en retour éviter de gaspiller votre temps et vos efforts dans la poursuite d'objectifs sans importance.

La troisième étape, vitale, consiste à *établir un système pour surveiller et mesurer votre progression*. Ce système peut aller de la simplicité d'un livre de comptabilité à la complexité des graphiques et des tableaux qui représentent vos projections financières. Beaucoup de gens ne réussissent pas à avancer parce qu'ils négligent de noter où ils en sont financièrement. Ce dont vous avez besoin, de fait, c'est d'avoir un plan financier structuré de façon à ce que vous puissiez savoir où vous en êtes, et donc suivre votre marche vers ce que vous vous êtes fixé. Il faut absolument que votre système soit simple et bien au point. Vous vous éviterez ainsi cette faute si courante: être tellement perdu dans le labyrinthe de la gestion de votre argent que vous ne voyez plus ce que vous essayez d'atteindre.

Vous devez donc prendre l'habitude de penser et d'agir logiquement plutôt qu'impulsivement — de décider rationnellement plutôt que de rationaliser vos décisions — lorsqu'il s'agit d'argent. Vous vous épargnerez ainsi le conflit classique émotion versus intellect et vous ne risquerez pas de faire des dépenses folles ou inutiles; cet argent peut vous être beaucoup plus utile si vous le mettez dans votre plan financier général. Il est peut-être exagéré de dire que toutes nos décisions financières devraient se prendre en tenant compte de l'effet qu'elles auront sur le reste de notre vie; et pourtant, on ne saurait nier que cela nous inciterait fortement à juger de façon saine et rationnelle.

Faites tous vos efforts, toujours, *pour utiliser vos ressources efficacement et utilement.* Ceci revient, tout simplement, à déterminer ce que, étant donné vos ressources, vous devez faire pour atteindre vos objectifs, puis à trouver la bonne façon de le faire. Par exemple, si vous avez $2000 et que vous désiriez les investir, vous devez trouver l'investissement qui rapportera le plus. L'efficacité peut être la clé du succès financier.

Finalement, *assurez-vous que votre plan financier est fait en fonction de vous.* Votre réussite ne passe pas pour vous par les mêmes chemins que pour d'autres. Si vous travaillez avec votre conseiller financier personnel, soyez sûr que ses recommandations s'ajustent à vos besoins et à vos intérêts, et non pas, comme cela arrive trop souvent, qu'il essaye de vous ajuster, vous, à son plan. Le meilleur conseil peut-être, c'est encore de vous assurer que votre portefeuille financier témoigne de ce que vous avez acheté — non de ce que vous avez dû vendre.

Un dernier avertissement. Pendant que vous établissez et analysez votre plan financier, rappelez-vous qu'avec un plan bien conçu et bien suivi, vous devez faire face convenablement à vos dépenses courantes, continuer à vous constituer une réserve solide et trouver moyen de faire fructifier votre argent. Si vous avez un bon plan, vous devez vous sentir en pleine sécurité car vous savez qu'il protège toutes vos assises financières — que votre vie présente est réaliste et que votre avenir est planifié, tant dans l'immédiat qu'à long terme.

Assurer votre réussite financière

"L'individu a besoin de se voir comme sa propre fabrique d'argent. Il est sa propre affaire."

Ces mots m'ont été dits par un avocat, jeune et célibataire, et ils ont rapidement fait leur chemin en moi. Non seulement ils m'évoquaient une façon hardie de s'y prendre pour investir financièrement dans le futur, mais ils traduisaient une attitude et une philosophie que je sentais particulièrement faites pour les gens qui vivent seuls.

Malgré qu'on en dise, il n'est pas difficile de comprendre et d'appliquer des principes financiers sains — de faire marcher *votre* fabrique d'argent. Et vous n'avez pas non plus besoin d'être dans la catégorie des revenus à six chiffres pour avoir besoin de connaître le secret des affaires. Si vous gagnez $15 000 par an, vous pouvez en tirer proportionnellement tout autant de bénéfices, à condition de comprendre et d'appliquer de bons principes de gestion.

Il faut absolument, quand on est seul, apprendre à gérer son argent, au mieux de ses possibilités puis à utiliser ce savoir pour se créer une base financière solide.

Accepter la responsabilité totale de sa réussite financière n'est pas une mince affaire, c'est évident. Heureusement, il y a des choses importantes que vous pouvez faire et qui assureront votre progression à l'intérieur de votre plan. Nous connaissons tous le proverbe: "Petit à petit, l'oiseau fait son nid." Eh bien, il reste tout aussi vrai quand il s'agit de votre argent.

D'un autre côté, vous pouvez élaborer le plus beau plan du monde et pourtant saper tout votre ouvrage en lui portant des coups légers, infimes, qui n'ont l'air de rien mais qui, en s'accumulant, vont produire une explosion — ce qu'on appelle un effondrement. Ou encore, vous pouvez devenir victime du syndrome du "gain négatif" —

vous n'avancez jamais vraiment à cause de petites choses par lesquelles vous persistez à vous faire financièrement échouer.

Ce qui revient à dire que, dans la plupart des cas, c'est cette bonne vieille et toute simple irresponsabilité financière qui est en cause. Mais, avec un minimum d'efforts et un maximum de bon sens, vous devez pouvoir assurer votre solvabilité.

Devenez votre propre spécialiste en économie

Ne faisons pas peur aux imprévoyants; le terme "spécialiste en économie", tel que nous l'employons ici, se comprend dans un sens très large; il veut simplement dire que vous êtes au courant des principes économiques de base et que vous vous en servez pour administrer vos finances. Être votre propre conseiller économique ne signifie souvent rien de plus qu'écouter et observer avec attention — écouter ce que disent les gens chaque fois qu'il est question de gestion d'argent ou de finances.

Ce que vous écoutez, que ce soit par le biais d'une conférence en bonne et due forme ou au hasard d'une conversation, peut ne pas avoir de sens pour vous en cet instant précis, peut-être même jamais; mais si vous avez stocké l'information dans votre banque de mémoire, il y a bien des chances pour que vous soyez capable de l'en sortir et de vous en servir à une date ultérieure.

Lisez attentivement les nouvelles du monde des affaires et de la finance. Utilisez votre bon sens pour vous représenter ce qu'elles signifient en appliquant, lorsque cela se trouve, leurs données à votre propre *modèle de gestion*. Supposons, par exemple, que vous ayez envie d'acheter une voiture étrangère et que vous sachiez que les tarifs d'importation de la dite voiture subiront à telle date une augmentation de quelques centaines de dollars. L'habileté consiste à acheter la voiture avant ce moment-là et à économiser ainsi la différence. Ce que je veux dire, c'est que si vous n'avez *pas* pensé à l'avance à cet achat, vous allez vous retrouver à payer un prix plus élevé qu'il l'aurait fallu.

Les journaux et les magazines peuvent être d'excellentes sources d'informations financières courantes. Les rayonnages des libraires sont remplis de textes consacrés à la gestion financière et qui couvrent tout, des notions les plus élémentaires jusqu'aux plus complexes. À notre époque de turbulence économique, les ouvrages financiers rapportent plus que jamais. Il y a quelques livres contemporains remarquables que vous pouvez consulter: *New Profits from the Monetary Crisis*, de Harry Browne (*Nouveaux profits et crise monétaire*). *Crisis Investing: Opportunities and Profits in the Coming Great Depression,* de Douglas R. Casey (*L'investissement en temps de crise: possibilités et projets dans la future grande dépression*). *How to Prosper During the Coming Bad Years*, de Howard Ruff (*Comment assurer sa prospérité pendant les mauvaises années qui s'en viennent*). Bien sûr, la question, pour vous, est d'apprendre le plus possible en lisant ce qui peut s'appliquer à votre situation particulière.

Observez ce qui se passe dans le monde des affaires. Ceci peut vous amener à savoir combien s'est vendue la maison d'à côté et, par conséquent, vous donner une idée approximative de la valeur de la vôtre — ou à être au courant des meilleurs conditions pour emprunter au cas où vous auriez besoin d'argent. Ce n'est pas tellement difficile d'arriver à contrôler et à gérer en toute sécurité ses biens. Avec un minimum d'efforts, et de savoir-faire, vous pouvez apprendre à calculer votre valeur nette, à répartir votre liquidité, à tirer le meilleur parti de vos avoirs, à prendre avec circonspection les décisions importantes et à établir un plan financier efficace pour l'avenir.

Apprenez autant que vous le pouvez. Plus vous en saurez, plus la gestion de vos biens s'en ressentira; vous éviterez ainsi de devenir victime de votre ignorance en matière de finance et de vous faire exploiter.

Si nous le pouvions, nous choisirions tous de ne pas avoir à nous soucier de l'argent. Mais le plus souvent, nous en manquons; il nous faut donc nous accrocher à ce que nous avons et l'administrer avec sagesse.

Une bonne gestion financière relève, en réalité, des sciences du comportement, car elle s'apprend. Il y entre une grande part d'autodiscipline — spécialement pour voir à long terme et pour ne pas oublier que chaque décision financière doit se prendre en tenant compte de ce qu'elle engage le reste de votre vie.

L'argent peut ne pas faire le bonheur, mais si, en vous préoccupant de vos finances vous pouvez acheter votre liberté, alors la vie sera plus agréable. Si vous arrivez à vous débarrasser des soucis d'argent, vous vous serez grandement aidé à vivre seul et à aimer cela!

Faites marcher votre propre fabrique d'argent et laissez-la fonctionner tranquillement, efficacement, sans interruption. Mieux encore, n'oubliez pas que, probablement, vous ne réussirez pas, sur le plan financier, si vous vous désintéressez de votre "fabrique" ou si vous laissez quelqu'un d'autre s'en occuper.

11

Par vous-même

Lorsque vous avez commencé à lire ce livre, vous vous êtes peut-être posé des questions, pas tant à cause de la note optimiste contenue dans le titre *Comment aimer vivre seul*, que de la promesse qu'il impliquait. Peut-être doutiez-vous de pouvoir trouver quelque valeur à ce mode de vie — peut-être même vous demandiez-vous si vous seriez capable de survivre par vous-même.

Vous avez cheminé à travers tous les chapitres qui précèdent; il faut espérer que votre perspective s'est modifiée en bien, que vous serez dès lors capable de vous adapter, de trouver valable ce style de vie — que vous apprendrez à vivre seul et à aimer cela.

S'il en est ainsi, vivre seul devient synonyme de joie: on est curieux d'explorations, on se réalise comme individu et comme personne, on jouit d'une liberté sans fin, on fait de nouvelles expériences; c'est une période pleine de promesses et pendant laquelle la perception de soi s'intensifie.

En vivant par vous-même, c'est la charge complète de votre vie que vous endossez, la responsabilité totale de vous-même. Cette responsabilité, il faut la voir comme une grâce, non comme un fardeau, car elle renferme tellement d'éléments positifs:

- Vivre seul exalte vos capacités et fait de vous un être plus complet. C'est une expérience qui vous permet de travailler sur les différents aspects de votre "soi" et de les agencer en leur conférant de l'authenticité. Pouvoir y arriver sans intervention extérieure, sans quelqu'un sur qui s'appuyer, c'est un signe que votre potentiel de croissance personnelle s'est grandement accru.

- De cette croissance résulte la capacité, pour celui qui vit seul, de rejoindre les autres et d'engager avec eux des relations plus profondes, plus vitales. Parce qu'on a moins tendance à présumer des relations interpersonnelles, elles acquièrent beaucoup plus de signification et sont beaucoup plus gratifiantes.

- En vivant seul, en affrontant seul ces tâches de la vie qui consistent à changer, se développer, bâtir et croître, en vous tournant vers des réalisations personnelles qui sont importantes pour vous et en assumant la responsabilité de fixer votre propre destinée, vous vous acheminez vers une plénitude véritable.

- Vivre seul, c'est aussi la possibilité de développer votre foi et votre confiance en vous, d'élargir vos horizons en prenant des risques, à l'occasion, et en faisant des essais, d'expérimenter cette assurance qui vient de ce que vous savez pouvoir compter sur vous. Il y a des gens qui, dans la vie, croient en la compétence des autres — mais jamais dans la leur. En vivant seul, vous découvrez que vos capacités sont réelles. C'est fantastique comme sentiment!

- Vivre seul vous permet de prendre vos propres décisions sans avoir à vous soumettre à quelqu'un d'autre, ou à faire des compromis. Parfois, nous n'arrivons pas à utiliser notre faculté de prendre de décisions tant que nous ne sommes pas seuls. Lorsque nous sommes satisfaits de notre travail comme compagnon, critique et conseiller de nous-mêmes, cela fait vraiment du bien!

- Vivre seul vous donne l'occasion d'expérimenter la joie d'être libre et laisse la porte ouverte à une grande variété d'autres expériences. Vous pouvez vous fixer des objectifs et les poursuivre, ce qui n'aurait pas été possible avec un mode de vie plus limité.

- Maîtriser sa vie seul procure une profondeur, une joie personnelles qui en font une expérience à part — une expérience qui exige que vous fassiez appel à toutes vos ressources pour pouvoir faire du bon travail, en tirer un apport valable. Cela peut vous amener à prendre conscience de dimensions en vous que vous ne saviez pas exister — dimensions qui, lorsque vous les découvrez, vous amèneront à la plus importante déclaration que vous puissiez faire en tant que personne vivant seule: "Je suis capable".

Chercher en soi

Parfois, nous nous trouvons coupables de chercher à l'extérieur de nous-mêmes, surtout chez d'autres personnes, de quoi nous "remplir" — nous faire nous sentir "complets", "achevés". Mais faire dépendre des autres notre bonheur ou notre sécurité, c'est leur imposer une lourde responsabilité, laquelle en réalité nous incombe.

Une jeune divorcée, qui avait du mal à vivre seule, m'a fait une remarque intéressante. "J'ai fait une découverte importante au cours de la première année, me dit-

179

elle, c'est que, tout simplement, je suis la seule personne qui puisse me rendre heureuse. Je croyais que c'était à mon mari de m'apporter le bonheur; je sais maintenant qu'un autre peut y concourir, mais que je suis la seule à pouvoir me le donner."

Cherchez en vous, dépendez de vous: c'est cela, être par soi-même.

Partager une expérience ou la vivre seul

Vous êtes la seule personne au monde à penser et à sentir comme vous le faites. Quelqu'un d'autre peut en prendre connaissance en en parlant avec vous ou en partageant votre expérience, mais personne d'autre ne peut vraiment l'assimiler. Que nous n'existions qu'en tant que nous-mêmes, c'est là, je pense, une vérité incontestable — et de le savoir nous fait mieux accepter notre solitude.

Le fait est là, on ne peut jamais vraiment partager une expérience, jamais. Deux personnes peuvent assister au même événement, mais chacune en retirera sa perception, ses sentiments. Si vous acceptez ce raisonnement, vous comprendrez qu'il est tout simplement impossible d'être "l'un dans l'autre" — de ne pas être "seul" au sens le plus vrai du terme.

Puisque, en dernière analyse, tout se vit seul, il faut se poser la question: "Est-ce que la présence d'une autre personne peut vraiment influencer la perception que j'ai de tel événement?" Je ne veux pas rabaisser le plaisir que vous pouvez avoir à être avec un autre, mais juste faire remarquer qu'il ne s'agit que d'une simple compagnie, et que ce qui est perçu par chacun est, par nature, propre à chacun.

Nous vivons dans une société qui valorise le couple, aussi certaines personnes se considèrent-elles comme des êtres humains incomplets tant qu'elles n'ont pas réussi à trouver un partenaire; à la vérité, ce que tentent ces gens, c'est de compléter leur identité en devenant "un couple". Or notre "identité" ne saurait s'acquérir de quelqu'un d'autre. Le tenter frise l'imposture — c'est vouloir combiner ensemble des morceaux qui jamais ne pourront constituer un individu "complet".

Ce qui peut se résumer à ceci: dans la vie, quelles que soient les circonstances, vous relevez uniquement de vous. Si vous le reconnaissez, si vous acceptez cette solitude essentielle, vous verrez alors plus clairement dans vos options et vivre seul vous apparaîtra comme une multiplication des possibles qui, loin de vous fermer les portes, vous les ouvrira toutes grandes. En d'autres mots, puisque de toute façon vous êtes "seul" ou "livré à vous-même", pourquoi souhaiter vivre en couple, pourquoi laisser cette idée faire obstacle à votre volonté de vivre heureux et d'y arriver par vos propres moyens?

Vivre seul et aimer ça

La clé du succès, quand on vit seul, se trouve dans votre propre attitude. Comment voyez-vous cela? Quelle est votre approche? Ce sont là les deux points les plus importants. Si vous croyez que vivre seul est une expérience qui risque d'être négative, elle le sera. Si au contraire vous la vivez comme une aventure qui laisse place au plaisir et à la croissance personnelle, elle vous procurera les deux.

La première fois, vivre seul peut être difficile; mais c'est aussi l'occasion de mûrir puisqu'il faut vous adapter à un changement de vie, et en cela, c'est une expérience enrichissante. De même, lorsque vous vous demandez si vous avez les ressources nécessaires pour survivre tout seul, découvrir que la réponse est *oui* c'est, par le fait même, vous affirmer.

Vivre seul, c'est avoir pleine autorité sur vous et, en même temps, la pleine responsabilité de votre vie. À vous de le faire de façon constructive et personnelle — de prendre la responsabilité de votre santé, de vos richesses et de votre bonheur; d'établir vos propres rapports avec le monde — en substance, de trouver un sens à votre vie.

Il y a autant de façons d'être heureux et de se sentir récompensé quand on vit seul que de gens qui, avec courage, s'y essaient. Chaque expérience est unique; cela varie avec votre âge, votre statut socio-économique, selon que vous êtes célibataire, séparé, divorcé ou veuf, que vous avez ou non des enfants. Ce que les uns voient comme effrayant ou désastreux, les autres l'accompliront sans effort. Tout dépend de la personne, de sa personnalité et de sa situation particulière.

En réussissant votre vie seul, vous découvrez un mode de vie qui vous rendra des services inestimables jusqu'à la fin de vos jours. Votre ambition doit être globale: mener *maintenant* une existence satisfaisante — en évitant de vivre comme si tout était suspendu ou, pire encore, immobile — et arriver à jouir d'une vie enrichissante, qui ne repose que sur vous.

Nous avons si peu de temps dans la vie pour ce qui est vraiment important. Nous devrions en tirer le maximum de profit personnel et d'agrément. Quoi que vous fassiez, ne vous limitez pas. Vous *pouvez* apprendre à chercher en vous l'inspiration et à passer des moments agréables, où que vous soyez, qu'il y ait ou non quelqu'un avec vous. Vous *pouvez* fonctionner en tant que personne totalement indépendante, et bien fonctionner. Vous *pouvez* vous créer et vous maintenir une vie sociale bien équilibrée. Vous *pouvez* découvrir et nourrir en vous des intérêts qui vous sont chers. Vous *pouvez* être à vous-même votre source d'énergie, de confort et de stimulation. Vous *pouvez* vous donner de bons conseils. Vous *pouvez* relever le défi: créer une vie pleine, riche, intéressante et satisfaisante que vous ne devrez qu'*à vous-même*.

Table des matières

Survivre à la mélancolie de la solitude
La rigidité: un des dangers de la solitude?
La solitude

Ouvrages parus dans la COLLECTION

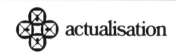

Lithographié au Canada
sur les presses de
Métropole Litho Inc.

Ouvrages parus chez

 le jour,
éditeur

COLLECTION BEST-SELLERS

COLLECTION ACTUALISATION

COLLECTION VIVRE

COLLECTION VIVRE SON CORPS

COLLECTION IDÉELLES

HORS-COLLECTION

Autres ouvrages parus aux Éditions du Jour

ALIMENTATION ET SANTÉ

ART CULINAIRE

DOCUMENTS ET BIOGRAPHIES

ENFANCE ET MATERNITÉ

Enfants du divorce se racontent, Les, Bonnie Robson

Famille moderne et son avenir, La, Lynn Richards

ENTREPRISE ET CORPORATISME

Administration et la prise, L', P. Filiatrault, Y.G. Perreault

Administration, développement, M. Laflamme, A. Roy

Assemblées délibérantes, Claude Béland

Assoiffés du crédit, Les, Fédération des A.C.E.F. du Québec

Coopératives d'habitation, Les, Murielle Leduc

Mouvement coopératif québécois, Gaston Deschênes

Stratégie et organisation, J.G. Desforges, C. Vianney

Vers un monde coopératif, Georges Davidovic

GUIDES PRATIQUES

550 métiers et professions, Françoise Charneux Helmy

Astrologie et vous, L', André-Pierre Boucher

Backgammon, Denis Lesage

Bridge, notions de base, Denis Lesage

Choisir sa carrière, Françoise Charneux Helmy

Croyances et pratiques populaires, Pierre Desruisseaux

Décoration, La, D. Carrier, N. Houle

Des mots et des phrases, T. I, Gérard Dagenais

Des mots et des phrases, T. II, Gérard Dagenais

Diagrammes de courtepointes, Lucille Faucher

Dis papa, c'est encore loin?, Francis Corpatnauy

Douze cents nouveaux trucs, Jeanne Grisé-Allard

Encore des trucs, Jeanne Grisé-Allard

Graphologie, La, Anne-Marie Cobbaert

Greffe des cheveux vivants, La, Dr Guy, Dr B. Blanchard

Guide de l'aventure, N. et D. Bertolino

Guide du chat et de son maître, Dr L. Laliberté-Robert, Dr J.P. Robert

Guide du chien et de son maître, Dr L. Laliberté-Robert, Dr J.P. Robert

Macramé-patrons, Paulette Hervieux

Mille trucs, madame, Jeanne Grisé-Allard

Monsieur Bricole, André Daveluy
Petite encyclopédie du bricoleur, André Daveluy
Parapsychologie, La, Dr Milan Ryzl
Poissons de nos eaux, Les, Claude Melançon
Psychologie de l'adolescent, La, Françoise Cholette-Pérusse
Psychologie du suicide chez l'adolescent, La, Brenda Rapkin
Qui êtes-vous? L'astrologie répond, Tiphaine

Régulation naturelle des naissances, La, Art Rosenblum
Sexualité expliquée aux enfants, La, Françoise Cholette-Pérusse
Techniques du macramé, Paulette Hervieux
Toujours des trucs, Jeanne Grisé-Allard
Toutes les races de chats, Dr Louise Laliberté-Robert
Vivre en amour, Isabelle Lapierre-Delisle

LITTÉRATURE

À la mort de mes vingt ans, P.O. Gagnon
Ah! mes aïeux, Jacques Hébert
Bois brûlé, Jean-Louis Roux
C't'a ton tour, Laura Cadieux, Michel Tremblay
Coeur de la baleine bleue, (poche), Jacques Poulin
Coffret Petit Jour, Abbé J. Martucci, P. Baillargeon, J. Poulin, M. Tremblay
Colin-maillard, Louis Hémon
Contes pour buveurs attardés, Michel Tremblay
Contes érotiques indiens, Herbert T. Schwartz
De Z à A, Serge Losique
Deux millième étage, Roch Carrier
Le dragon d'eau, R.F. Holland
Éternellement vôtre, Claude Péloquin
Femme qu'il aimait, La, Martin Ralph
Filles de joie et filles du roi, Gustave Lanctôt
Floralie, où es-tu?, Roch Carrier
Fou, Le, Pierre Châtillon
Il est par là le soleil, Roch Carrier

J'ai le goût de vivre, Isabelle Delisle
J'avais oublié que l'amour fût si beau, Yvette Doré-Joyal
Jean-Paul ou les hasards de la vie, Marcel Bellier
Jérémie et Barabas, F. Gertel
Johnny Bungalow, Paul Villeneuve
Jolis deuils, Roch Carrier
Lapokalipso, Raoul Duguay
Lettre à un Français qui veut émigrer au Québec, Carl Dubuc
Lettres d'amour, Maurice Champagne
Une lune de trop, Alphonse Gagnon
Ma chienne de vie, Jean-Guy Labrosse
Manifeste de l'infonie, Raoul Duguay
Marche du bonheur, La, Gilbert Normand
Meilleurs d'entre nous, Les, Henri Lamoureux
Mémoires d'un Esquimau, Maurice Métayer
Mon cheval pour un royaume, Jacques Poulin
N'Tsuk, Yves Thériault
Neige et le feu, La, (poche), Pierre Baillargeon

Obscénité et liberté, Jacques Hébert
Oslovik fait la bombe, Oslovik
Parlez-moi d'humour, Normand Hudon
Scandale est nécessaire, Le, Pierre Baillargeon

Trois jours en prison, Jacques Hébert
Voyage à Terre-Neuve, Comte de Gébineau

SPORTS

Baseball-Montréal, Bertrand B. Leblanc
Chasse au Québec, La, Serge Deyglun
Exercices physiques pour tous, Guy Bohémier
Grande forme, Brigitte Baer
Guide des sentiers de raquette, Guy Côté
Guide des rivières du Québec, F.W.C.C.
Hébertisme au Québec, L', Daniel A. Bellemare
Lecture de cartes et orientation en forêt, Serge Godin
Nutrition de l'athlète, La, Jean-Marc Brunet
Offensive rouge, L', G. Bonhomme, J. Caron, C. Pelchat

Pêche sportive au Québec, La, Serge Deyglun
Raquette, La, Gérard Lortie
Ski de randonnée — Cantons de l'Est, Guy Côté
Ski de randonnée — Lanaudière, Guy Côté
Ski de randonnée — Laurentides, Guy Côté
Ski de randonnée — Montréal, Guy Côté
Ski nordique de randonnée et ski de fond, Michael Brady
Technique canadienne de ski, Lorne Oakie O'Connor
Truite, la pêche à la mouche, Jeannot Ruel
La voile, un jeu d'enfant, Mario Brunet

Imprimé au Canada/Printed in Canada

01